LAS CONFESIONES
DE UN PEQUEÑO FILÓSOFO

José Martínez Ruiz «Azorín»

JOSÉ MARTÍNEZ RUIZ
«AZORÍN»

LAS CONFESIONES DE UN PEQUEÑO FILÓSOFO

PRÓLOGO DE JOSÉ MARÍA MARTÍNEZ CACHERO

TERCERA EDICIÓN

ESPASA-CALPE, S. A.
MADRID
1981

Ediciones especialmente autorizadas para

SELECCIONES AUSTRAL

Primera edición: 25 - II - 1976
Segunda edición: 13 - III - 1979
Tercera edición: 6 - II - 1981

© Julio Rajal Guinda, 1904

© Espasa-Calpe, S. A., Madrid, 1976

—

Depósito legal: M. 3.835–1981
ISBN 84–239–2009–7

Impreso en España
Printed in Spain

Acabado de imprimir el día 6 de febrero de 1981

Talleres gráficos de la Editorial Espasa-Calpe, S. A.
Carretera de Irún, km. 12,200. Madrid-34

ÍNDICE

PRÓLOGO

El último libro de J. Martínez Ruiz.

Ocurre que *Las confesiones de un pequeño filósofo*, libro aparecido en 1904, cuando su autor iba a cumplir treinta y un años, es el último de los publicados a nombre de J. (osé) Martínez Ruiz; el título que sigue en su bibliografía —*Los pueblos*, 1905— va firmado por «Azorín», el seudónimo que desplazará definitivamente al oscuro nombre civil del escritor[1].

---

[1] Martínez Ruiz había utilizado con anterioridad otros seudónimos, a saber: «Fray José» (en sus colaboraciones para «La Educación Católica», revista de Petrel, Alicante, 1892), «Cándido» (en los folletos *La crítica literaria en España* y *Moratín*, ambos de 1893), «Ahrimán» (en el folleto *Buscapiés*,

Cinco capítulos de este libro fueron anticipados en el número 3 de «Alma española» (Madrid, 22-XI-1903), son: el II, *Escribiré* (que se titulaba *Prólogo y disculpa*); el XLIII, *Mi madre* (que, sin embargo, no figuró en la primera edición[2]); el XVI, *Mi primera obra literaria* (que se ofrecía con este mismo título); el XXXVI, *Azorín es un hombre raro* (que antaño se llamaba *La rareza de mi carácter*). (La otra estampa inserta en «Alma española» era *Mi filosofía de las cosas*, que no se corresponde con ningún capítulo del libro.) Llevaban esos cinco capítulos como epígrafe general el de *Juventud triunfante*, trabajo perteneciente a la serie

---

1894) y «Este» (en los artículos de la sección *Avisos de Este* que llevaba en el diario madrileño «El Progreso», 1897).

El seudónimo «Azorín» aparece por vez primera en el número 8 (Madrid, 28-I-1904) del diario «España», como firma de un artículo titulado *Impresiones parlamentarias*.

[2] Carecemos de un texto definitivo y crítico de *Las confesiones...* que recoja las adiciones, supresiones y modificaciones de mayor y menor envergadura realizadas desde 1904, a través de las varias ediciones, por ejemplo: la de 1909, la del editor Caro Raggio, la ofrecida en las Obras Selectas y en las Obras Completas de Azorín.

de autobiografías de escritores recién llegados que dicho semanario ofrecía[3].

En abril de 1904 se imprimió *Las confesiones...* (Madrid, establecimiento tipográfico «Sucesores de Rivadeneyra»): un
tomo breve (124 páginas en octavo), de
sencilla presentación, sin apenas erratas
(se advertía en la página 121 que «las
pocas que se han deslizado en la impresión de este libro, no obscurecen el sentido de lo escrito, y son de las que, seguramente puede salvar el buen criterio del lector»), sin dedicatoria alguna[4],
con el subtítulo genérico de «Novela» en
la portada donde, además, consta la
Librería de Fernando Fe, ignoro si como
simple lugar de venta o, también, como
casa editora de la obra en cuestión, cuyo
precio al público era 2,50 pesetas. El libro

---

[3] Como las de: Valle-Inclán, *Juventud militante* (n.º del
27-XII-1903) y Ramiro de Maeztu, *Juventud menguante* (número del 24-I-1904).

[4] A partir de la segunda edición (1909), *Las confesiones...*
lleva la dedicatoria siguiente: «A Don Antonio Maura, a
quien debe el autor de este libro el haberse sentado en el
Congreso: deseo de la mocedad.» (Azorín fue diputado por
primera vez en la legislatura de 1907.)

fue bien recibido por la crítica, atenta seguidora ya de los pasos y progresos del autor; críticos tan prestigiosos como Gómez de Baquero, Navarro Ledesma o «Ángel Guerra» lo comentaron elogiosamente[5].

La saga de Antonio Azorín.

Las confesiones... constituye, en cuanto a cronología editorial, la tercera y última pieza de un conjunto autobiográfico que alguna vez he denominado «la saga de Antonio Azorín» y del que forman parte,

---

[5] Gómez de Baquero en *El Imparcial* afirmaba que «pocos saben admirar, como este pequeño filósofo, la poesía íntima y familiar del detalle»; para Navarro Ledesma (en *ABC*), «Azorín niño, presentado por este libro (...), es tan interesante, en cuanto muchacho como David Copperfield, como Oliverio Twist (...)»; «Ángel Guerra (seudónimo de José Betancourt) advertía en la revista «La Lectura» cómo «ese amable filósofo (el autor del libro) ha dado en la flor de contar (...), más que las andanzas de su vida, que nada tiene de accidentada ni de épica, la génesis de su estado actual de espíritu y la lenta formación de su carácter a lo largo de unos cuantos años de existencia».

además, *La voluntad* (1902) y *Antonio Azorín* (1903). Son tres novelas que tienen por héroe o protagonista a Antonio Azorín, joven irresoluto en la primera, «peregrino señor» en la segunda, «pequeño filósofo» en la tercera y, siempre, trasunto de su creador. Uno y otro —autor y personaje— interesan, a más de por sus vicisitudes personales, en cuanto representan cumplidamente una actitud común a un grupo de españoles, entonces no otra cosa que jóvenes discrepantes con una concreta situación nacional menesterosa de radicales medidas purificadoras. Pero a lo largo de esta trilogía no se mantiene al mismo tono y nivel ese espíritu noventayochista que anima al escritor y trasparece en el personaje. El irritado acento con que se denuncian lacras españolas de toda índole no excluye la simpatía y la ternura hacia paisajes y pobladores de Levante o de Castilla; la buida ironía impiadosa irá cediendo su puesto a la bienhumorada sonrisa. Cuando, tras el intermedio de

Antonio Azorín, entramos en *Las confesiones*... diríase que *La voluntad* fuera como un libro lejano, distante ya buen espacio de años.

Y es que *La voluntad* resulta un libro inequívocamente noventayochista, en el que prevalece el talante de su protagonista, cifra o símbolo declarado con explicitud de una generación española; libro en el cual importan más que los sucesos o peripecias, las consideraciones que Antonio Azorín y otros personajes —Yuste, su maestro, vgr.— formulan; libro que es excelente ejemplo de literatura comprometida y de idiosincrasia más ensayística que propiamente narrativa. Sin olvidarse de los finos, exquisitos capítulos XIX, XXI, XXIII y XXVIII de la primera parte que presentan la estancia de la muchacha Justina en el convento, anticipo de lo que iba a ser no tardando mucho el estilo y el contenido del Azorín típico.

Antonio Azorín ofrece más andanzas de **este personaje sucedidas, primordialmente,**

entre el campo y la ciudad de Monóvar,
Petrel y Madrid; personaje, ahora, menos
radical y más sereno que el conocido en
La voluntad, lo que se debe en buena
parte a las personas con quienes trata
en la provincia frecuente e íntimamente:
Verdú y Sarrió le influyen bastante.
Lección de confiada esperanza la que,
sentida y practicada hasta lo patético,
le dará el primero de ellos —«no, no,
Azorín; todo no es perecedero, todo no
muere... ¡El espíritu es inmortal! ¡El
espíritu es indestructible!»—; lección de
complacencia en la vida tal cual viene,
de sabroso goce de la realidad es la que
brinda Sarrió. (Ninguna de ambas lec-
ciones le había sido transmitida por el
desencantado y dubitante Yuste.) El estudio de la provincia ocupa muchas páginas de esta novela y la maestría
«azoriniana» —un estilo ya hecho— avan-
za lenta, morosa, reiterativa, como el
paso gris de las horas y de los días por
aquellas cosas y calles, por el ánimo de
sus pobladores.

Una cosa es la cronología editorial ya indicada y la modificación acaecida en el talante del autor de estos tres libros de andanzas de Antonio Azorín y otra, no poco distinta, es la cronología efectiva de los hechos narrados. Irán primero los recuerdos colegiales y adolescentes recogidos en *Las confesiones...*; y seguirán *La voluntad* y *Antonio Azorín*, entremezclándose partes con partes de uno y otro libro, acaso del modo siguiente: cabe pensar que la primera y segunda partes de *Antonio Azorín* se ubican luego de la primera parte de *La voluntad*; ¿lo indica así una línea del capítulo primero de esa segunda parte, la que dice: «Azorín mira pensativo a Verdú, *como antaño miraba a Yuste*»? (el subrayado es mío). Al fin de esta parte —segunda de *Antonio Azorín*—, como al fin de la primera de *La voluntad* (si bien obedeciendo a motivaciones harto distintas: el deseo de fama, la absoluta y tristísima soledad, respectivamente), el protagonista se marcha a Madrid. Episodios de su estancia en la capital, episodios muy semejantes en uno y otro libro, dan cuerpo a la parte que sigue en cada uno de ellos: segunda en *La voluntad*, tercera y última en *Antonio Azorín*. No hay final en éste: la despedida de Sarrió por el protagonista en la estación de Atocha no cierra nada y deja abiertas todas las posibilidades viables; de modo contrario en *La voluntad*, cuya tercera parte, y el epílogo sobre todo, marcan la derrota y muerte intelectual y moral del héroe, condenado ya sin remedio a vegetar.

La memoria del «pequeño filósofo».

En el verano de 1903, a los diez años de carrera literaria, José Martínez Ruiz aprovecha una estancia en la tierra natal para componer este libro. Tras un período de ausencia, que fue tiempo de lucha nada fácil, ahora, cuando el propio e intransferible camino vocacional comienza a ser andado con paso firme y

Casa natal de Azorín

Foto Rico de Estasen

seguro, el escritor gusta de inclinarse sobre su pasado para, amorosamente, revivirlo. El contacto de nuevo con gentes y cosas que le dejaron huella en su infancia le invita, le fuerza casi, a la rememoración. Día a día, en una casa sita en el Collado de Salinas, al pie de un monte «poblado de pinos olorosos y de hierbajos ratizos», fueron saliendo estos breves cuadros, estas deliciosas páginas evocadoras.

Conocidos ya el *cuándo* y el *dónde* de este libro, habremos de considerar el *cómo* del mismo.

Algunas palabras del autor en distintos pasajes de la obra lo declaran muy explícitamente. «Cerner los recuerdos»: así pudiéramos enunciar el procedimiento puesto en uso para la composición de éste y de otros libros suyos de memorias[6].

---

[6] Como *Valencia* y *Madrid* (1941), y *Memorias inmemoriales* (1946). Quede cercano o lejano el tiempo en que la recordación se realiza del tiempo recordado, el procedimiento fue siempre el mismo, el que se enuncia así en el capítulo I de *Madrid*: «En el acervo copioso de mis evocaciones, separo

No se trata, desde luego, de una puntual
y documentada biografía, pletórica de
fechas, de nombres propios, de citas con-
firmatorias. En vez del compacto, mono-
lítico bloque a que puede compararse un
volumen así confeccionado, se nos ofrece-
rá un conjunto impresionista, desorgani-
zado y caprichoso en apariencia, retazos
sólo pero entrañablemente trabados, in-
tegrando superior y coherente unidad,
revelando a media voz todo un paisaje
vital extinguido. «No voy a contar mi
vida de muchacho y mi adolescencia,
punto por punto, tilde por tilde (...). Yo
no quiero ser dogmático y hierático; y
para lograr que caiga sobre el papel, y el
lector la reciba, una sensación ondulante,
flexible, ingenua de mi vida pasada, yo
tomaré entre mis recuerdos algunas pocas

---

unas y me quedo con otras. Y no sé si el cernido es bueno o
malo. Desde el fondo de la personalidad, suben hasta la conciencia imágenes del remoto pretérito (...). ¿No habré olvidado
acaso algo? ¿No habré olvidado lo que tanto quise? Contra
nuestra voluntad, a veces lo más dilecto se nos escapa»
(pág. 185, t. VI, Obras Completas de Azorín. Madrid, Aguilar,
1948).

notas vivaces e inconexas (...)» (capítulo II).

Monóvar y Yecla —más este último— son los lugares donde sucede la acción de *Las confesiones*...: el colegio de los padres escolapios y las casas familiares del protagonista —la paterna, la de algunos tíos— fueron antaño sus moradas. En sobrios y significativos trazos conocemos a las personas con las que más hubo de tratar; las hay gratas y menos gratas, pero nunca el autor tiene un instante siquiera de ensañamiento; tampoco los sucesos nefastos o los parajes que pudieron resultarle hostiles promueven su irritación. Es tan delicado el recuerdo porque quien evoca está deliciosamente sumido en el pretérito, poseído por una melancólica impregnación de tristeza: la que produce el paso irreparable del tiempo.

El colegio de los escolapios de Yecla, por ejemplo, no es morada grata al adolescente que trasponía sus umbrales con prevención. Personas y cosas de su recinto aumentarán ese disgusto inicial que no son suficientes a contrapesar otras cosas y personas de signo contrario: ni anatemas ni ensañamiento para las primeras y, en los casos positivos, cordial simpatía (como en el caso del P. Lasalde, capítulo XI). La técnica meramente presentativa —capítulos XVIII y XIX, vgr.— prohíbe francas consideraciones estimativas, pero el recuerdo adverso o favorable que el evocador tiene para lo evocado se percibe ya merced a una leve huella de ironía, a una seca constatación o a un suave gesto amical.

Encuentro en *Las confesiones...* hasta una media docena de cuadros o capítulos de acento noventayochista: son los números XIV —*Yecla*—, XV —*La misteriosa Elo*—, XXV —*La sequía*—, XXVII —*Mi tía Bárbara*—, XXX —*Los despertadores*— y XXXVII —*Los tres cofrecillos*—. Este último es una construcción imaginativa que el autor dispone a base de elementos contenidos en los cinco anteriores mencionados y de otros elementos apuntados acá

y allá en este libro o en pasajes de los
dos libros suyos inmediatamente prece-
dentes. Al XXVII lo anima muy concreto
personaje: una vieja y aviejada pariente
del rememorador; un conjunto de personas que sólo tiene sentido en cuanto
conjunto peculiarísimo protagoniza el
capítulo XXX. Los tres restantes se re-
fieren a la tierra y al alma de Yecla,
cifra y símbolo de los pueblos de España[7].

Circunstancias climatológicas y somá-
ticas contribuyen a producir una realidad
característica: el talante de Yecla, de
sus hijos y moradores. Sol agostador,
sequía, desolación de la tierra y de los
hombres que la trabajan y que de ella
viven: «El arroyo está cubierto de una
espesa capa de polvo que se levanta por

---

[7] Lo cual —esta condición simbólica de Yecla respecto a
los pueblos de España— aparece con más destacado bulto y
mayor extensión en la primera parte de *La voluntad*, y así
lo he considerado en las págs. 111-120 (apartado «Noven-
tayochismo») de mi libro *Las novelas de Azorín* (Madrid,
«Ínsula», 1960).

el aire ardiente y forma nubes abrasadoras (...) esos días de sequía asoladora,
con las mieses y los herrenes que se
agostan, con los frutales que se secan,
con los árboles que abaten sus hojas
encogidas, con los caminos polvorientos (...)» (capítulo XXV). A la memoria
de quien está evocando acude inmediatamente el recuerdo de dos al parecer
antagónicos movimientos del ánimo: esperanza y airada queja impotente. Entre
las nubes de polvo que la sequía forma,
«aparecen las capas negras de los clérigos,
con rameados gualdos, las cotas negras
de los monagos, una alta cruz de plata
que irradia lumbre»; los campesinos
vienen detrás: «dos largas ringlas de
labriegos que caminan despacio y cantan,
en coro fervoroso, una salmodia plañidera» (ídem). Actitud esperanzada, siquiera
lejanamente, que la resignación, entre
fatalista y religiosa, hace más viable.
Pero hay momentos en que resignación y
esperanza fallan y es entonces cuando
sucede el movimiento que hemos califi-

Alquería levantina

Foto Luis Vidal

cado de antagónico: una sorda y con-
centrada ira estalla —«las viejas enlutadas
que suspiran y miran al cielo abriendo
los brazos, con una sorda ira que envenena a los labriegos acurrucados en sus
sillas de esparto, en los zaguanes semioscuros, y que estalla de cuando en
cuando en golpes y gritos que hacen
llorar a los niños» (ídem). ¿Serían así
estas gentes, cabe preguntarse, si las con-
diciones climatológicas del suelo que ha-
bitan y de la tierra que cultivan no re-
dundaran sobre ellos pesadamente?

Existe otro factor nada desdeñable a
la hora de precisar causas y consecuencias al respecto que estamos tratando,
el autor lo enuncia así en el capítulo XV:
«Yo imagino que estos labriegos y estas
viejas llevan en sus venas un átomo de
sangre asiática.» Las esculturas halladas
en el Cerro de los Santos parecen con-
firmar la hipótesis: «eran orientales meditativos y soñadores» quienes las mode-
laron y quienes sirvieron de modelos;
entre los yeclanos contemporáneos del

pequeño filósofo, «las pobres yeclanas del presente», y las mujeres de aquellas esculturas, «con sus ojos de almendra, con su boca suplicante y llorosa, con sus mantillas, con los pequeños vasos en que ofrecen esencias y ungüentos al Señor», se adivina un sorprendente aire de familia.

Clima y herencia, atmósfera y sangre, configuran la mentalidad de seres como la tía Bárbara o los despertadores, cuyo rasgo más distintivo acaso sea su triste y hórrida religiosidad. La tía Bárbara «llevaba continuamente un rosario en la mano; iba a todas las misas y a todas las novenas (...); yo no recuerdo haberle oído decir nada, aparte de sus breves y dolorosas imprecaciones al cielo: «¡Ay, Señor!» (...); recorría las casas de los parientes, pasito a paso, enterándose de todas las calamidades, sentándose, muy arrebujada, en un cabo del sofá, suspirando con las manos juntas: «¡Ay, Señor!» (capítulo XXVII). La masa de los despertadores (capítulo XXX) posee talante idéntico al de la tía Bárbara; salen las vísperas de fiesta a la madrugada y desfilan por las calles de Yecla entonando una «melopea plañidera, monótona, suplicante», «obra de un músico que estaba un poco loco».

Cercana a esta existencia detenida y mortecina, contrastando con ella, alienta la vida del joven colegial que pide paso y rompe impetuosa con la disciplina externa que unos horarios y sus confeccionadores y vigilantes imponen —capítulo IX—, o con lo que unos secos libros preceptúan —capítulo XXIII—. Por ello los episodios donde la ley triunfaba implacable cercenando concretas aspiraciones —capítulo XX, *La propiedad es sagrada è inviolable*— resultan malos recuerdos, pero el nombre del ejecutor se olvida con el paso de los años, en tanto que seres como el padre Joaquín —que leía *El Imparcial*, que disecaba animales, que conversaba en clase con los alumnos— son nombrados y evocados con simpatía (capítulo XXII). La revelación de la sexualidad se encuentra en dos muy delicados capítulos: en el IV, el evocador es uno de los protagonistas; en el otro —el XXI—, es solamente amigo del héroe. La pecadora que vivía al lado del colegio es denominada una «mujercita» y parece que el diminutivo quitara maldad y fealdad a su dedicación, en tanto que lo ocurrido al compañero Cánovas otorga al episodio un aire divertido; la mujer del capítulo IV, una criada de la vecindad, no era pecadora profesional sino un ser extraordinario que «nos regalaba la alegría».

Junto a este par de capítulos han de colocarse los relativos a experiencias que tempranamente comenzaron a dejar huella en la idiosincrasia del interesado: algunas personas con las que se ha convivido larga o entrañablemente, algunas mudas contemplaciones de la Naturaleza. El paisaje de la vega de Yecla, visto a diario desde el salón de estudio del colegio, «ha sido como una especie de triaca a mis dolores infantiles» (capítulo X) en cuanto huida hacia la libertad desde la malhadada prisión pero, además, «ha influído gratamente en mi vida de artista porque ha puesto en mí el amor a la Naturaleza»; de igual modo, la extática contemplación de la luna por el telescopio del colegio una clara noche de primavera le conmueve hondamente: «Yo sentí que por vez primera entraba en mi alma una ráfaga de honda poesía y de anhelo inefable» (capítulo XIII). Amor y sentimiento de la Naturaleza, honda y suave melancolía, atracción por lo misterioso: he aquí las consecuencias que para el futuro personal y artístico de nuestro escritor se derivan de ese par de experiencias infantiles.

El trato con determinadas personas ha ejercido también influencia en el ánimo del evocador, así la lección de resignada melancolía que le ofrece el escolapio Lasalde, o la lección de tristeza de la tía Águeda, a quien el protagonista visitaba sólo de cuando en cuando y entonces un suspiro y unas palabras de la mujer «impregnaban mi alma de un dejo de tristeza» (capítulo XXXII).

La actitud de mero contemplador que asume Martínez Ruiz en *Las confesiones...* ante personas, cosas y sucesos es muestra de un peculiar talante que el paso y el peso del tiempo completarán y robustecerán o, si se prefiere, de una práctica, modesta o «pequeña» filosofía de la vida[8], lo que da sentido a una parte del título de este libro y condena como innecesarias las lucubraciones al respecto de algunos comentaristas de Azorín[9].

«Las confesiones...», una novela azoriniana.

Dicho queda cómo en la portada de la primera edición de este libro se declara

---

[8] Mero contemplador, sí, que ya no se indigna ni prorrumpe en denostaciones, aunque pudiera hacer lo uno y lo otro, o se indigna mínimamente; en *Yo, pequeño filósofo II* leemos estas palabras, corolario a una visita efectuada por el autor al colegio de Yecla: «¿Tenía yo razón para volverme a indignar? Sí, yo me he vuelto a indignar en *la medida discreta que me permite mi pequeña filosofía*» (el subrayado es mío).

[9] Como los mencionados por Anna Krause en las págs. 18-21 de su libro *Azorín, el pequeño filósofo.* (Espasa-Calpe, Madrid, 1955.)

explícitamente su condición genérica de «Novela», pero ¿resulta así en efecto este conjunto de muy sucintas y leves evocaciones?

Hay en el mismo un solo y neto protagonista que comparece real y físicamente, o como evocador de otras personas y de hechos ajenos, a lo largo de los capítulos o cuadros. Un concreto período de la vida de ese protagonista: infancia y adolescencia. Un tiempo que en la evocación se vive sucesivo: se asciende desde los días de la escuela primaria hasta que una fina y sensitiva muchacha (María Rosario, capítulo XLII y último) puede turbar el corazón del adolescente. No hay digresiones de la especie que sean interrumpiendo ese fluir sucesivo, su marcha desde un término inicial a otro final. Parece, pues, que andamos cerca de la novela, casi inmersos ya en un ámbito específicamente novelesco. Y sin embargo... La acción es escasa y la evocación la hace estática; además, la tendencia al cuadro, a la página culmina en *Las confesiones...*, donde todo es cuadro y donde bastantes de ellos cuentan entre las más logradas y típicas páginas de su autor.

En todo momento la expresión resulta eficaz, como plegándose cariñosamente a un contenido entrañable: efectos de ternura, de suave tristeza, de leve misterio (capítulos como el XXXIX, *Las ventanas*, y el XLI, *Las puertas*) se dicen sobria y bellamente, con arte magistral; otro tanto sucede con la emoción honda pero nunca estridente, como soterrada y, no obstante, bien perceptible, que produce el irreparable paso del tiempo, tema clave desde ahora en la obra azoriniana. Precisamente el Tiempo, junto con las vidas opacas —a las que se refiere cordialmente el capítulo XXXVIII— y la misteriosidad sobrecogedora de capítulos como el XXXIX o el XLI, constituyen no sólo temas o motivaciones, sino también claves o fuerzas que matizarán en adelante y de modo peculiarísimo el arte de nuestro autor.

JOSÉ MARÍA MARTÍNEZ CACHERO.

LAS CONFESIONES
DE UN PEQUEÑO FILÓSOFO

A

DON ANTONIO MAURA

a quien debe el autor de este
libro el haberse sentado en el
congreso: deseo de la mocedad

DÓNDE ESCRIBÍ ESTE LIBRO

Quiero escribir algunas líneas para esta nueva edición de mi libro. Lo mejor será que yo cuente dónde lo he escrito. Lo he escrito en una casa del campo alicantino castizo. El verdadero Alicante, el castizo, no es el de la parte que linda con Murcia, ni el que está cabe los aledaños de Valencia; es la parte alta, la montañosa, la que abarca los términos y jurisdicciones de Villena, Biar, Petrel, Monóvar, Pinoso. En uno de estos términos está la casa en que yo escribí este libro. Su situación es al pie de una montaña; el monte está poblado de pinos olorosos y de hierbajos ratizos, tales como romero, espliego, eneldo, hinojo; entre estas matas aceradas y

El castillo de Biar dominando la población

Foto Sánchez

oscuras aparecen a trechos las corolas
azules o rosadas de las campanillas silvestres, o la corona nívea, con su botón
de oro, que nos muestra la matricaria;
peñas abruptas, lisas, se destacan sobre
un cielo límpido, de añil intenso, y en
los hondos y silenciosos barrancos, es-
condiendo sus raíces en la humedad,
extienden su follaje tupido, redondo, las
buenas higueras o los fuertes nogales.
Y luego, en la tierra llana, aparece una
sucesión, un ensamblaje de viñedos y de
tierras paniegas, en piezas cuadradas o
alongadas, en agudos cornijales o en
paratas represadas por un ribazo. Los
almendros mezclan su fronda verde a la
fronda adusta y cenicienta de los olivos.
Entre unos y otros se esconde la casa.
Cuando penetramos en ella vemos que
su zaguán es espacioso, claro; está empe-
drado de pequeños guijarros; a la izquierda se divisa la cocina y a la derecha el
cantarero o zafariche.

Vayamos por partes. El cantarero en
una casa levantina es algo importantísi-

mo, esencial. Lo constituye una ancha losa arenisca, finamente pulida y escodada; encima de ella, puestos en pie, simétricamente, reposan cuatro o seis cántaros de blanco, amarillento barro; colocadas en la boca de los cántaros hay otras tantas jarras o alcarrazas; más arriba, en una leja de madera empotrada en la pared, aparece una colección de picheles vidriados, de vasos de cristal y de bernegales; junto a la losa constitutiva, fundamental, del zafariche, se ve una tinaja con su tapadera de madera y con su acetre de cobre para sacar el agua, y al otro lado de la dicha losa está la almofia o palangana, colocada en aro de hierro que surte del centro de un cuadro de azulejos. En el verano, las alcarrazas y los cántaros, llenos de fresca agua, van rezumando gotas cristalinas, y en la penumbra y el silencio en que está sumida la casa, en tanto que fuera abrasa el sol, es éste un espectáculo que nos trae al espíritu una sensación de alegría y reposo.

Las paredes del zaguán que describimos son blancas, cubiertas con cal; en ellas se ven pegadas con engrudo algunas estampas piadosas, que representan toscamente alguna imagen de algún santuario o pueblo cercano; no lejos de estas estampas unas perdices metidas en sus estrechas jaulas picotean en sus cajoncitos llenos de trigo. Observémoslas un momento y después pasemos a la cocina. Nada más sencillo que esta dependencia de la casa. La cocina es grande, de campana; tiene una ancha losa sobre la que se asientan las trébedes y los anafes, y luego, sobre la pared, se levanta otra, renegrida por las llamas, y que es la que se llama *trashoguera;* el reborde de la campana lo forma una cornisita y en ella aparecerán colocados los peroles, cazuelas y cuencos que han de ser habitualmente usados. La despensa y el amasador están anejos a la cocina; juzgamos inútil ponderar la importancia capitalísima de estas piezas; si la casa es rica, en la despensa veremos muchas y pin-

torescas cosas que causarán nuestra
admiración; allí habrá, colgados del techo, perniles, embutidos y redondas bolas
de manteca; allí, en orcitas blancas, vi-
driadas, tendremos mil arropes, mixturas,
pistajes y confecciones que no podemos
enumerar y describir ahora. En cuanto
al amasador, en uno de los ángulos se ve
la masera o artesa con sus mandiles
rojos, azules y verdes; los cedazos penden
de sus clavos, lo mismo que la cernedera
o artefacto en que se apoyan los cedazos
cuando se cierne; y en una rinconera,
al pie de la tinajita en que se guarda la
levadura, están las pintaderas. Las pintaderas requieren dos palabras de expli-
cación: han hecho tanto ruido por el
mundo, que bien merecen esta digresión
breve. Las pintaderas o pintaderos, son
unas pinzas con los rebordes obrados en
caprichoso dibujo; con ellas las buenas
mujeres caseras adornan y hacen mil
labores fantásticas en las pastas domés-
ticas y en los panes que se destinan a las
fiestas solemnes; estos panes así traba-

jados con las pintaderas se llaman *pinta-dos* y he dicho que las pintaderas son muy traídas y llevadas por el mundo porque, si no ellas, al menos el *pan pintado*, que con ellas se hace lo estamos nombrando a cada paso en compañía de las *tortas...*

Mucho tendría que extenderme en las demás estancias y departamentos de la casa. Tendría que nombrar las anchas cámaras donde se guardan colgadas las frutas navideñas: melones, uvas, membrillos.

Hablaríamos también de la almazara, con sus prensas y su molón con la tolva y la zafa de dura piedra. Entraríamos en la bodega y en ella veríamos el jaraiz donde se estrujan los racimos, los toneles en que se guarda el mosto y la alquitara en que se destila el alcohol. Daríamos una vuelta por los corrales y saludaríamos a los valientes gallos, a sus compañeras las gallinas y a los soberbios e inflados pavos. Subiríamos al palomar y les diríamos a las palomas: «Salud, palomas;

vosotras sois felices, puesto que voláis por el azul.» En el almijar, donde se secan los higos, si era por otoño, cogeríamos uno o dos y paladearíamos sus mieles. En los alhorines del granero meteríamos las manos en el oro fresco del trigo...

Todo esto tendríamos que recorrer y examinar. No quiero fatigar al lector; yo ahora voy a poner la firma a estas cuartillas y me marcho bajo los pinos, que una brisa ligera hace cantar con un rumor sonoro.

AZORÍN.

Collado de Salinas, julio, 1909.

I

YO NO SÉ SI ESCRIBIR...

Lector: yo soy un pequeño filósofo; yo tengo una cajita de plata de fino y oloroso polvo de tabaco, un sombrero grande de copa y un paraguas de seda con recia armadura de ballena. Lector: yo emborrono estas páginas en la pequeña biblioteca del Collado de Salinas. Quiero evocar mi vida. Es medianoche; el campo reposa en un silencio augusto; cantan los grillos en un coro suave y melódico; las estrellas fulguran en el cielo fuliginoso; de la inmensa llanura de las viñas sube una frescor grata y fragante.

Yo estoy sentado ante la mesa; sobre ella hay puesto un velón con una redonda pantalla verde que hace un círculo luminoso sobre el tablero y deja en una suave penumbra el resto de la sala. Los volúmenes reposan en sus armarios; apenas si en la oscuridad destacan los blancos rótulos que cada estante lleva —*Cervantes*, *Garcilaso*, *Gracián*, *Montaigne*, *Leopardi*, *Mariana*, *Vives*, *Taine*, *La Fontaine*—, a fin de que me sea más fácil recordarlos y pedir, estando ausente, un libro.

Yo quiero evocar mi vida; en esta soledad, entre estos volúmenes, que tantas cosas me han revelado, en estas noches plácidas, solemnes, del verano, parece que resurge en mí, viva y angustiosa, toda mi vida de niño y de adolescente. Y si dejo la mesa y salgo un momento al balcón, siento como un aguzamiento doloroso de la sensibilidad cuando oigo en la lejanía el aullido plañidero y persistente de un perro, cuando contemplo el titileo misterioso de una estrella en la inmensidad infinita.

Y entonces, estremecido, enervado, retorno a la mesa y dudo ante las cuartillas de si un pobre hombre como yo, es decir, de si un pequeño filósofo, que vive en un grano de arena perdido en lo infinito, debe estampar en el papel los minúsculos acontecimientos de su vida prosaica...

II

ESCRIBIRÉ

No voy a contar mi vida de muchacho y mi adolescencia punto por punto, tilde por tilde. ¿Qué importan y qué podrían decir los títulos de mis libros primeros, la relación de mis artículos agraces, los pasos que di en tales redacciones o mis andanzas primitivas a caza de editores? Yo no quiero ser dogmático y hierático; y para lograr que caiga sobre el papel, y el lector la reciba, una sensación ondulante, flexible, ingenua de mi vida pasada, yo tomaré entre mis recuerdos algunas notas vivaces e inconexas —como lo es la realidad—, y con ellas saldré del grave aprieto en que me han colocado mis amigos, y pintaré mejor mi carácter, que no con una seca y odiosa ringla de fechas y de títulos.

Y sea el lector bondadoso, que a la postre todos hemos sido muchachos, y estas liviandades de la mocedad no son sino prólogos ineludibles de otras hazañas más fructuosas y trascendentales que realizamos —¡si las realizamos!— en el apogeo de nuestra vida.

III

LA ESCUELA

Estos primeros tiempos de mi infancia aparecen entre mis recuerdos un poco confusos, caóticos, como cosas vividas en otra existencia, en un lejano planeta. ¿Cómo iba yo a la escuela? ¿Por dónde iba? ¿Qué emociones experimentaba al entrar? ¿Qué emociones sentía al verme fuera de las cuatro paredes hórridas? No miento si digo que aquellas emociones debían de ser de pena, y que éstas debían de serlo de alegría. Porque este maestro que me inculcó las primeras luces era un hombre seco, alto, huesudo, áspero de condición, brusco de palabras, con unos bigotes cerdosos lacios, que yo sentía raspear en mis mejillas cuando se inclinaba sobre el catón para adoctrinarme con más ahínco. Y digo ahínco, porque yo —como hijo del alcalde— recibía del maestro todos los días una lección especial. Y esto es lo que aun ahora trae a mi espíritu un sabor de amargura y de enojo.

Cuando todos los chicos se habían marchado, yo me quedaba solo en la escuela... La escuela se levantaba a un lado del pueblo, a vista de la huerta y de las redondas colinas que destacan suaves en el azul luminoso; tenía delante un pequeño jardín con acacias amarillentas y ringleras de evónimus. El edificio había sido convento de franciscanos; el salón de la escuela era largo, de altísimo techo, con largos bancos, con un macilento Cristo bajo dosel morado, con un inmenso mapa cuajado de líneas misteriosas, con litografías en las paredes. Estas litografías, que luego he vuelto a encontrar en el colegio, han sido la pesadilla de mi vida. Todas eran de colores chillones y representaban pasajes bíblicos; yo no los recuerdo todos, pero tengo, allá en los senos recónditos de la memoria, la imagen de un anciano de barbas blancas que asoma, encima de un monte, por entre nubes, y le entrega a otro anciano dos tablas formidables, llenas de garabatos, largas y con las puntas superiores redondas.

Yo me quedaba solo en la escuela; entonces el maestro me llevaba, pasando por los claustros y por el patio, a sus habitaciones. Ya aquí, entrábamos en el comedor. Y ya en el comedor, abría yo la cartilla, y durante una hora este maestro feroz me hacía deletrear con una insistencia bárbara.

Yo siento aún su aliento de tabaco y percibo el rascar, a intervalos, de su bigote cerdoso. Deletreaba una página, me hacía volver atrás; volvíamos a avanzar, volvíamos a retroceder; se indignaba de mi estulticia; exclamaba a grandes voces:

«¡Que no! ¡Que no!» Y al fin yo, rendido, anonadado, oprimido, rompía en un largo y amargo llanto...

Y entonces él cesaba de hacerme deletrear y decía moviendo la cabeza: «Yo no sé lo que tiene este chico...»

IV

LA ALEGRÍA

¿Cuándo jugaba yo? ¿Qué juegos eran los míos? Os diré uno: no conozco otro. Era por la noche, después de cenar; todo el día había estado yo trafagando en la escuela a vueltas con las cartillas, o bien metido en casa, junto al balcón, repasando los grabados de un libro. Cuando llegaba la noche, se hacía como un oasis en mi vida; la luna bañaba suavemente la estrecha callejuela; un frescor vivificante venía de los huertos cercanos. Entonces mi vecino y yo jugábamos a *la lunita*. Este juego consiste en ponerse en un cuadro de luz y en gritarle al compañero que uno «está en su luna», es decir, en la del adversario; entonces el otro viene corriendo a desalojarle ferozmente de su posesión, y el perseguido se traslada a otro sitio iluminado por la luna..., hasta que es alcanzado.

Mi vecino era un muchacho recogido y taciturno, que luego se hizo clérigo; yo creo que éste ha sido nuestro único juego. Pero a veces tenía un corolario verdaderamente terrible. Y consistía en que una criada de la vecindad, que era la mujer más estupenda que he conocido, salía vestida bizarramente con una larga levita, con un viejo sombrero de copa y con una escoba al hombro. Esto era para nosotros algo así como una hazaña mitológica; nosotros admirábamos profundamente a esta criada. Y luego, cuando en esta guisa, nos llevaba a una de las eras próximas, y nos revolcábamos, bañados por la luz de la luna, en estas noches serenas de Levante, sobre la blanda y cálida paja, a nuestra admiración se juntaba una intensa ternura hacia esta mujer única, extraordinaria, que nos regalaba la alegría...

V

EL SOLITARIO

Y vais a ver un contraste terrible: esta mujer extraordinaria servía a un amo que era su polo opuesto. Vivía enfrente de casa; era un señor silencioso y limpio; se acompañaba siempre de dos grandes perros; le gustaba plantar muchos árboles... Todos los días, a una hora fija, se sentaba en el jardín del casino, un poco triste, un poco cansado, luego tocaba un pequeño silbo. Y entonces ocurría una cosa insólita: del boscaje del jardín acudían piando alegremente todos los pájaros; él les iba echando las migajas que sacaba de sus bolsillos. Los conocía a todos: los pájaros, los dos lebreles silenciosos y los árboles eran sus únicos amigos. Los conocía a todos: los nombraba por sus nombres particulares, mientras ellos triscaban sobre la fina arena; reprendía a éste cariñosamente porque no había venido el día anterior; saludaba al otro que acudía por vez primera. Y cuando ya habían comido todos, se levantaba y se alejaba lentamente, seguido de sus dos perros enormes, silenciosos.

Había hecho mucho bien en el pueblo; pero las multitudes son inconstantes y crueles. Y este hombre un día, hastiado, amargado por las ingratitudes, se marchó al campo. Ya no volvió jamás a pisar el pueblo ni a entrar en comunión con los hombres; llevaba una vida de solitario entre las florestas que él había hecho arraigar y crecer. Y como si este apartamiento le pareciese tenue, hizo construir una pequeña casa en la cima de una montaña, y allí esperó sus últimos instantes.

Y vosotros diréis: «Este hombre abominaba de la vida con todas sus fuerzas.»

No, no; este hombre no había perdido la
esperanza. Todos los días le llevaban del
pueblo unos periódicos; yo lo recuerdo.
Y estas hojas diarias eran como una
lucecita, como un débil lazo de amor que
aun los hombres que más abominan de
los hombres conservan, y a los cuales les
deben el perdurar sobre la tierra.

VI

«ES YA TARDE»

Muchas veces, cuando yo volvía a casa —una hora, media hora después de haber cenado todos—, se me amonestaba porque *volvía tarde*. Ya creo haber dicho en otra parte que en los pueblos sobran las horas, que hay en ellos ratos interminables en que no se sabe qué hacer, y que, sin embargo, siempre es tarde.

¿Por qué es tarde? ¿Para qué es tarde? ¿Qué empresa vamos a realizar que exige de nosotros esta rigurosa contabilidad de los minutos? ¿Qué destino secreto pesa sobre nosotros que nos hace desgranar uno a uno los instantes en estos pueblos estáticos y grises? Yo no lo sé; pero yo os digo que esta idea de que siempre es tarde es la idea fundamental de mi vida;

no sonriáis. Y que si miro hacia atrás, veo que a ella le debo esta ansia inexplicable, este apresuramiento por algo que no conozco, esta febrilidad, este desasosiego, esta preocupación tremenda y abrumadora por el interminable sucederse de las cosas a través de los tiempos.

He de decirlo, aunque no he pasado por este mal: ¿sabéis lo que es maltratar a un niño? Yo quiero que huyáis de estos actos como de una tentación ominosa. Cuando hacéis con la violencia derramar las primeras lágrimas a un niño, ya habéis puesto en su espíritu la ira, la tristeza, la envidia, la venganza, la hipocresía... Y entonces, con estos llantos, con estas explosiones dolorosas de sollozos y de gemidos, desaparece para siempre la visión riente e ingenua de la vida, y se disuelve poco a poco, inexorablemente, aquella secreta e inefable comunidad espiritual que debe haber entre los que nos han puesto en el mundo y nosotros los que venimos a continuar, amorosamente, sus personas y sus ideas.

VII

CAMINO DEL COLEGIO

Cuando los pámpanos se iban haciendo amarillos y llegaban los crepúsculos grises del otoño, entonces yo me ponía más triste que nunca, porque sabía que era llegada la hora de ir al colegio. La primera vez que hice este viaje fue a los ocho años. De Monóvar a Yecla íbamos en carro, caminando por barrancos y alcores; llevábamos como viático una tortilla y chuletas y longanizas fritas.

Y cuando se acercaba este día luctuoso, yo veía que repasaban y planchaban la ropa blanca: las sábanas, las almohadas, las toallas, las servilletas... Y luego, la víspera de la partida, bajaban de las falsas un cofre forrado de piel cerdosa, y mi madre iba colocando en él la ropa con mucho apaño. Yo quiero consignar que ponía también un cubierto de plata; ahora, cuando a veces revuelvo el aparador, veo, desgastado, este cubierto que me ha servido durante ocho años, y siento por él una profunda simpatía.

De Monóvar a Yecla hay seis u ocho horas: salíamos al romper el alba; llegábamos a prima tarde. El carro iba dando tumbos por los hondos relejes; a veces parábamos para almorzar bajo un olivo. Y yo tengo muy presente que, ya al promediar la caminata, se columbraban desde lo alto de un puerto pedregoso, allá en los confines de la inmensa llanura negruzca, los puntitos blancos del poblado y la gigantesca cúpula de la iglesia Nueva, que refulgía.

Y entonces se apoderaba de mí una angustia indecible; sentía como si me hubieran arrancado de pronto de un paraíso delicioso y me sepultaran en una caverna lóbrega. Recuerdo que una de las veces quise escaparme; aún me lo cuenta riendo un criado viejo, que es el que me llevaba. Yo me arrojé del carro y corría por el campo; entonces él me cogió, y decía dando grandes carcajadas: «¡No, no, Antoñito, si no vamos a Yecla!»

Pero sí que íbamos: el carro continuó su marcha, y yo entré otra vez en esta ciudad hórrida, y me vi otra vez, irremediablemente, discurriendo, puesto en fila, por los largos claustros, o sentado, silencioso e inmóvil, en los bancos de la sala de estudio.

Colegio de las Escuelas Pías en Yecla

Foto Archivo Espasa-Calpe

VIII

EL COLEGIO

En Yecla había un viejo convento de franciscanos; a este convento adosaron tres anchas navadas y quedó formado un gran edificio cuadrilongo, con un patio en medio, con una larga fachada, sin enlucir, rojiza, áspera, trepada por balcones numerosos. Hay también en el colegio, en el recinto del convento, un patizuelo silencioso que surte de luz a los claustros de bovedillas, a través de pequeñas ventanas, cerradas con tablas amarillentas de espato. Yo siempre he mirado con una secreta curiosidad este patio lleno de misterio; en el centro aparece el brocal de una cisterna, trabajado con toscas labores blanquinegras, roto; grandes plantas silvestres crecen por todo el piso.

Los claustros del colegio son largos y anchos. Los dormitorios estaban en el piso segundo; destacaban sobre la blancura de las paredes largas filas de camas blancas. En cada sala —eran dos o tres— había un gran lavabo con diez o doce espitas. Los balcones daban al pequeño jardín que está delante del colegio; a lo lejos, por encima de las casas de la ciudad, se ve el pelado cerro del Castillo, resaltando en el cielo azul.

Abajo, en el piso principal, estaban la sala de estudio, la capilla, los gabinetes de Historia Natural y de Física y dos o tres grandes salones, vacíos, con pavimento de madera, por donde, al andar, las pisadas hacen un ruido sonoro, sobre todo de noche, en la soledad, cuando sólo un quinqué colgado a lo lejos ilumina débilmente el ancho ámbito...

Las escuelas de párvulos y las aulas de la segunda enseñanza se hallan en el piso bajo. Y he de decir, para que no parezca con sólo lo enunciado que es reducido el edificio, que esto se refiere sólo al flanco derecho; en el izquierdo están situadas las celdas y dependencias de la comunidad. Nosotros rara vez traspasábamos los aledaños de nuestros dominios. Y cuando esto sucedía, yo discurría con una emoción intensa por las escalerillas del viejo convento; por una ancha sala, destartalada, con las maderas de los balcones rotas y abiertas, en que aparecen trofeos desvencijados: banderas, arcos y farolillos; por un largo corredor, semioscuro, silencioso, en que se ve, junto a una ventana, un cántaro que, al trasminar, ha formado a su alrededor un gran círculo de humedad; por unas falsas situadas sobre la iglesia, en que hay capazos de libros viejos, con los pergaminos abarquillados por el ardiente calor de la techumbre...

La iglesia está contigua al colegio; se entra en ella por la portezuela del coro y por otra pequeña puerta que comunica con un claustro del piso bajo. Nosotros hacíamos nuestras oraciones en la capilla particular que a este fin teníamos en el piso principal; pocas veces nos llegábamos a la iglesia. Y eran los días en que había sermón —que oíamos sentados en los bancos del coro— o las fiestas de Semana Santa, en que permanecíamos mortalmente de pie, en el centro de la nave, durante las horas interminables de los Oficios, bien apoyándonos sobre una pierna, bien sobre otra, para engañar nuestro cansancio.

El comedor estaba en el piso bajo; las ventanas dan a la huerta. A esta huerta yo no he entrado sino en rarísimas ocasiones: para mí era la suprema delicia caminar bajo la bóveda del emparrado, entre los pilares de piedra blanca, y discurrir por los cuadros de las hortalizas lujuriantes.

IX

LA VIDA EN EL COLEGIO

Nos levantábamos a las cinco; aún era de noche; yo, que dormía pared por medio de uno de los Padres semaneros, le oía, entre sueños, toser violentamente minutos antes de la hora. Al poco se abría la puerta; una franja de luz se desparramaba sobre el pavimento semioscuro. Y luego sonaban unas recias palmadas que nos ponían en conmoción a todos. Estas palmadas eran verdaderamente odiosas; pero nos levantábamos —porque de retardarnos hubiéramos perdido el chocolate— y nos dirigíamos, con la toalla liada al cuello, hacia los lavabos. Aquí poníamos la cabeza bajo la espita y nos corría la helada agua por la tibia epidermis con una agridulce sensación de bienestar y desagrado.

Yo recuerdo que muchas mañanas abría una de las ventanas que daban a la plaza; el cristal estaba empañado por la escarcha; una foscura recia borraba el jardín y la plaza. De pronto, a lo lejos, se oía un ligero cascabeleo. Y yo veía pasar, emocionado, nostálgico, la diligencia, con su farol terrible, que todas las madrugadas a esta hora entraba en la ciudad, de vuelta de la estación lejana.

Cuando nos habíamos acabado de vestir, nos poníamos de rodillas en una de las salas; en esta postura rezábamos unas breves oraciones. Luego bajábamos a la capilla a oír misa. Esta misa diaria, al romper el alba, ha dejado en mí un imborrable sedimento de ansiedad, de preocupación por el misterio, de obsesión del porqué y del fin de las cosas... Yo me contemplo, durante ocho años, todas las madrugadas, en la capilla oscura. En el fondo, dos cirios chisporrotean; sus llamas tiemblan a intervalos, con esas ondulaciones que parecen el lenguaje mudo de un dolor misterioso; el celebrante rezonguea con un murmullo bajo y sonoro; en los cristales de las ventanas, la pálida claror del alba pone sus luces mortecinas.

Después de la misa pasábamos al salón de estudio; y cuando había transcurrido media hora, sonaba en el claustro una campana y descendíamos al comedor.

Otra vez subíamos a estudiar, después del desayuno, y tras otra media hora —que nosotros aprovechábamos afanosamente para dar el último vistazo a los libros— bajábamos a las clases. Duraban las clases tres horas: una hora cada una. Y cuando las habíamos rematado, sin intervalo de una a otra, subíamos otra vez a esta horrible sala de estudio. Estudiábamos media hora antes de comer; sonaba de nuevo la campana; descendíamos —siempre de dos en dos— al come-

dor. La comida transcurría en silencio;
un lector —cada día le tocaba a un colegial— leía unas páginas de Julio Verne
o del *Quijote*. Luego, idos al patio, teníamos una hora de asueto. Y otra vez
subíamos al nefasto salón; permanecíamos hora y media inmóviles sobre los
libros, y, al cabo de este tiempo, tornaba
a tocar la campana y bajábamos a las
aulas. Por la tarde teníamos dos horas
de clase; después merendábamos, nos
expansionábamos una hora en el patio
y volvíamos a colocarnos en nuestros
pupitres, atentos sobre los textos.

Ahora estábamos en esta forma hora y
media: el tiempo nos parecía interminable. Nada pesaba más sobre nuestros
cerebros vírgenes que este lapso eterno
que pasábamos a la luz opaca de quin-
qués sórdidos, en esta sala fría y destartalada, con los codos apoyados sobre la
tabla y la cabeza entre las manos, fija
la vista en las páginas antipáticas, mientras rumiábamos mentalmente frases abs-
tractas y áridas...

Volvía a sonsonear el esquilón: descendíamos, por los claustros oscuros, al comedor. Y cuando habíamos despachado la cena, tiritando, en la larga sala con mesas de mármol, subíamos al segundo piso. Entonces nos arrodillábamos, rezábamos unas oraciones y cada uno se dirigía a su cama.

X

LA VEGA

Y sin embargo, en este fiero salón he encontrado yo algo que ha influido gratamente en mi vida de artista... El estudio está situado en la parte posterior del edificio, en el piso principal; desde sus ventanas se domina la pequeña vega yeclana. Es un paisaje verde y suave; la fresca y clara alfombra se extiende hasta las ligeras colinas de los cerros rojizos que cierran el horizonte; cuadros negruzcos de hortalizas y herrenes ensamblan con verdes hazas de sembradura; los azarbes se deslizan culebreando, pletóricos de agua clara y murmuradora, entre las

Paseo de la Alameda de Yecla

Foto Archivo Espasa-Calpe

lindes; acá y allá, un almendro de tronco
retorcido, una noguera secular y rotunda,
destacan su nota alegre. A la izquierda
se ve el boscaje de la alameda, tupido,
negro; a la derecha, la carretera, blanca
y recta, sube un largo declive y desaparece
en lo alto de un terreno.

Y hay aquí, en esta llanura grata, frente
por frente de las ventanas del estudio,
una casa pequeña cuyas paredes blancas
asoman por lo alto de una floresta cerrada
por una verja de madera. Desde mi pupitre, con la cabeza apoyada en la palma
de la mano, ocho años he estado empa-
pándome de esta verdura fresca y suaví-
sima, y contemplando esta casa misteriosa, siempre en silencio, escondida entre el
boscaje. Y esta visión continua ha sido
como una especie de triaca de mis dolores
infantiles; y esta visión continua ha
puesto en mí el amor a la Naturaleza,
el amor a los árboles, a los prados mulli-
dos, a las montañas silenciosas, al agua
que salta por las aceñas y surte hilo a
hilo en los hontanares.

XI

EL PADRE CARLOS

El primer escolapio que vi cuando entré por primera vez en el colegio fue el padre Carlos Lasalde, el sabio arqueólogo. Guardo del padre Lasalde un recuerdo dulce y suave. Era un viejo cenceño, con la cabeza fina, con los ojos inteligentes y parladores; andaba pasito, silencioso, por los largos claustros; tenía gestos y ademanes de una delicadeza inexplicable. Y había en sus miradas y en las inflexiones de su voz —y después, más tarde, cuando lo he tratado, lo he visto claro— un tinte de melancolía que hacía callar a su lado, sumisos, sobrecogidos dulcemente, aun a los niños más traviesos. Parece que el destino se ha complacido en poner ante mí, a mi entrada en la vida, estos hombres entristecidos, mansamente resignados...

El padre Carlos Lasalde, cuando me vio en la Rectoral, me cogió de la mano y me atrajo hacia sí; luego me pasó la mano por la cabeza, y yo no sé lo que me diría, pero yo le veo inclinarse sobre mí sonriendo y mirarme con sus ojos claros y melancólicos. Después, yo lo contemplaba de lejos, con cierta secreta veneración, cuando transcurría por las largas salas, callado, con sus zapatos de suela de cáñamo, con la cabeza inclinada sobre un libro.

Pero el padre Lasalde duró poco en el colegio. Cuando se fue quedaron solas estas estatuas egipcias, rígidas, simétricas, hieráticas, que él había desenterrado en el Cerro de los Santos. Tal vez su espíritu nostálgico se explayaba en la reconstrucción de esas lejanas edades y veía en estos tristes hombres de piedra, sacerdotes y sabios, unos remotos hermanos en ironías y en esperanzas.

XII

LA LECCIÓN

—¡Caramba! —decía yo—; ha pasado ya media hora y no he aprendido aún la lección.

Y abro precipitadamente un libro terrible que se titula *Tablas de logaritmos vulgares*. Esto de vulgares me chocaba extraordinariamente: ¿por qué son vulgares estos pobres logaritmos? ¿Cuáles son los selectos y por qué no los tengo yo para verlos? En seguida echaba la vista sobre este libro y me ponía a leerlo fervorosamente; pero tenía que cerrarlo al cabo de un instante, porque estas columnas largas de guarismos me producían un gran espanto. Además, ¿qué quiere decir que «los lados de un triángulo esférico unirrectángulo, o son todos menores que un cuadrante, o bien uno solo es menor y los otros dos mayores»? ¿Por qué en este libro unas páginas son blancas y las otras azules? Todo esto es verdaderamente absurdo; por cuyo motivo yo abro mi pupitre y saco ocultamente un cuaderno en que he ido pegando recortes de periódicos. Y leo las cosas extraordinarias que pasan en el mundo:

«*Un elefante célebre.*—La muerte violenta de *Jumbo*, el gigantesco elefante de Barnum...»

«*Ferrocarriles eléctricos.*—Recientemente se ha inaugurado en Cleveland (Ohío) el primer ferrocarril eléctrico construido hasta ahora...»

«*Los velocipedistas.*—Un hombre montado en un biciclo, es decir, en un velocípedo de dos ruedas, ha aparecido en Talriz, en los confines de Persia...»

De pronto, cuando más embebido estoy en mi lectura, oigo una campanita que toca: *din-dan, din-dan...*

—¡Caramba! —vuelvo yo a exclamar—; ha pasado otra media hora y aún no me sé la lección. Y ahora sí que abro decidido otro libro y me voy enterando de que «el género silicatos es el segundo de los que componen la familia de los silícidos». Algo rara me parece a mí esta familia de los silícidos. Pero, sin embargo, repito mentalmente estas frases punto por punto. Lo malo es que el fervor no me dura mucho tiempo; en seguida me siento cansado y ladeo un poco la cabeza, apoyada en la palma de la mano, y miro en la huerta, a través de los cristales, la lejana casita oculta entre los árboles.

Y entonces suena la hora de la clase y me lleno de espanto.

—A ver, Azorín —me dice el profesor cuando hemos bajado al aula—, salga usted.

Yo salgo en medio de la clase y me dispongo a decir el cuadro de la sílice:

—La sílice se divide en dos: primera, cuarzo; segunda, ópalo. El cuarzo se divide en hyalino y en litoideo...

Al llegar aquí ya no sé lo que decir, y repito dos o tres veces que el cuarzo se divide en hyalino y litoideo; el profesor conviene en que, efectivamente, es así. Yo vuelvo a callar. Estos momentos de silencio son tremendos, abrumadores; parecen siglos. Por fin, el profesor pregunta:

—¿No sabe usted más?

Yo le miro con ojos atontados. Y entonces él dice terriblemente:

—Está bien, señor Azorín; esta tarde me dejará usted la merienda.

Y yo ya sé que cuando descendamos al comedor he de llevar humildemente mi platillo con la naranja o las manzanas a la mesa presidencial.

XIII

LA LUNA

Cuando yo pasaba por este largo salón con piso de madera, en que resonaban huecamente los pasos, levantaba la vista y miraba a través de las ventanas. Y entonces veía allá a lo lejos, al otro lado del patio, en la torrecilla que surgía sobre el tejado, los cazos ligeros, pequeños, del anemómetro que giraba, giraba incesantemente.

Unas veces marchaban lentos, suaves; otras corrían desesperados, vertiginosos. Y yo siempre los miraba, sintiendo una profunda admiración, un poco inexplicable, por estos locos cacillos que daban

vueltas sin parar, rápidos, lentos, indi-
ferentes a las inquietudes humanas, allá
en lo alto, sobre la ciudad en que los
hombres hacían tantas cosas terribles...

Esta torrecilla que he nombrado era el
observatorio; tenía en el centro de la
azotea un diminuto quiosco con la cúpula
de latón pintado de negro, y en esta
cúpula había una hendidura que se abría
y se cerraba, y por la que asomaba, en
las noches claras, de estrellado radiante,
un tubo misterioso y terrorífico. Nosotros
sabíamos que este tubo era un telescopio;
pero no acertábamos a comprender por
qué este escolapio miraba todas las noches por él cuando con una sola bastaba
para hacerse cargo de todo el cielo y sus
aledaños... Una noche subí yo también;
era una noche de primavera; el ambiente
estaba tibio y tranquilo; lucían pálida-
mente las estrellas; se destacaba, redonda
y silenciosa, en el cielo claro la luna. Hacia
ella dirigimos el tubo misterioso; yo vi
una gran claror suave, con puntos negros, que son los cráteres extinguidos;

con manchas blancas, que son los mares congelados.

Y entonces, en esta noche tranquila, sobre el reposo de la huerta y de la ciudad dormida, yo sentí que por primera vez entraba en mi alma una ráfaga de honda poesía y de anhelo inefable.

Yecla (Murcia). Vista parcial

Foto López

XIV

YECLA

«Yecla —ha dicho un novelista— es un pueblo terrible.» Sí que lo es; en este pueblo se ha formado mi espíritu. Las calles son anchas, de casas sórdidas o viejos caserones destartalados; parte del poblado se asienta en la falda de un monte yermo; parte se explaya en una pequeña vega verde, que hace más hórrida la inmensa mancha gris, esmaltada con grises olivos, de la llanura sembradiza...

En la ciudad hay diez o doce iglesias; las campanas tocan a todas horas; pasan labriegos con capas pardas; van y vienen devotas con mantillas negras. Y de cuan-

do en cuando discurre por las calles un
hombre triste que hace tintinear una
campanilla, y nos anuncia que un con-
vecino nuestro acaba de morirse.

En Semana Santa toda esta melancolía
congénita llega a su estado agudo: forman las procesiones largas filas de en-
capuchados, negros, morados, amarillos,
que llevan Cristos sanguinosos y Vírgenes
doloridas; suenan a lo lejos unas bocinas
roncas con sones plañideros; tañen las
campanas; en las iglesias, sobre las losas,
entre cuatro blandones, en la penumbra
de la nave, un crucifijo abre sus brazos,
y las devotas suspiran, lloran y besan sus
pies claveteados.

Y esta tristeza, a través de siglos y
siglos, en un pueblo pobre, en que los
inviernos son crueles, en que apenas se
come, en que las casas son desabrigadas,
ha ido formando como un sedimento mi-
lenario, como un recio ambiente de dolor,
de resignación, de mudo e impasible re-
nunciamiento a las luchas vibrantes de
la vida.

XV

LA MISTERIOSA ELO

Y yo me pregunto: ¿Cómo explicar el carácter de este pueblo, único en España? ¿De dónde proviene este sedimento de tristeza, de amargura y de resignación? ¿Por qué tocan las campanas a todas horas llamando a misas, a sufragios, a novenas, a rosarios, a procesiones, de tal modo que los viajantes de comercio llaman a Yecla «la ciudad de las campanas»? ¿Por qué son tan taciturnos estos labriegos, con sus cabezas pardas, y por qué suspiran estas buenas viejas de casa en casa malagorando?

Y yo quiero imaginar una cosa notable; no os estremezcáis. Yo imagino que estos labriegos y estas viejas llevan en sus venas un átomo de sangre asiática... Desde la ciudad, si vais a ella, veréis en la lejanía la cima puntiaguda y azul del monte Arabí; a sus pies se extiende una inmensa llanura solitaria y negruzca. Y en esta llanura, sobre las mismas faldas del Arabí, se alzaba una ciudad espléndida y misteriosa, dominada por un templo de vírgenes y hierofantes, construido en un cerro. No se sabe a punto fijo, a pesar de las minuciosas investigaciones de los eruditos, qué pueblos y qué razas vinieron en la sucesión de los tiempos —ocho, diez o quince siglos antes de la era cristiana— a fundirse en esta ciudad soberbia y extraña. Venían acaso de las riberas del Ganges y del Indo; eran orientales meditativos y soñadores; eran fenicios que labraban estas estatuas rígidas y simétricas, de sabios y de vírgenes, que hoy contemplamos con emoción en los Museos.

Yo las he mirado y remirado largos ratos en las salas grandes y frías. Y al ver estas mujeres con sus ojos de almendra, con su boca suplicante y llorosa, con sus mantillas, con los pequeños vasos en que ofrecen esencias y ungüentos al Señor, he creído ver las pobres yeclanas del presente y he imaginado que corría por sus venas, a través de los siglos, una gota de sangre de aquellos orientales meditativos y soñadores.

XVI

MI PRIMERA OBRA LITERARIA

Esto no lo recuerdo bien: yo hice un discurso. Tengo una idea confusa: no quiero arreglar nada. Me place dejar estas sensaciones que bullen en mi memoria tal como yo las siento, caóticas, indefinidas, como a través de una gasa, allá en la lejanía...

Yo hice un pequeño discurso; es decir, lo escribí en un cuadernito, con mucho cuidado, con esa meticulosidad forzuda que ponen los niños —inclinándose violentamente, apretando los labios— en sus empeños.

Y este discurso, recuerdo que cuando llegó la ocasión —no sé qué ocasión— yo me levanté y lo leí ante la concurrencia silenciosa. Sí; recuerdo que fue en el largo comedor, con mesas de mármol corridas, con sus ventanas que daban a la huerta ornada de parrales, y por la que se veía cerca una redonda higuera verdeja. Y ya no puedo recordar, por más esfuerzos que hago, lo que decía en mi pequeña alocución; cuando la acabo de leer, los buenos escolapios que presiden la mesa callan gravemente, y —cosa rara, es decir, no, no, cosa muy natural— sí que tengo muy vivo, muy presente, muy entero, el gesto benévolo y las frases lisonjeras de uno de ellos...

Este escolapio tan afable, ¿presentía mi vocación? Yo no sé: tal vez me veía en el Congreso pronunciando discursos terribles; tal vez me consideraba en una cátedra diciendo cosas estupendas. Pero sus presentimientos no se han cumplido. Y yo, cuando paso por delante del Congreso, bajo la cabeza tristemente y pienso en esta horrible paradoja de mi vida: en haber comenzado haciendo un discurso a los ocho años, para acabar siendo un pobre hombre que no ha podido lograr un acta de diputado.

XVII

MIS AFICIONES BIBLIOGRÁFICAS

Hace un momento ha salido el maestro; no hay nada comparable en la vida a estos breves y deliciosos respiros que los muchachos tenemos cuando se aleja de nosotros, momentáneamente, este hombre terrible que nos tiene quietos y silenciosos en los bancos. A las posturas violentas de sumisión, a los gestos modosos, suceden repentinamente los movimientos libres, los saltos locos, las caras expansivas. A la inacción letal, sucede la vida plena e inconsciente. Y esta vida, aquí entre nosotros, en esta clase soleada, en este minuto en que está ausente el maestro, consiste en subirnos a los bancos, en

golpear los pupitres, en correr desafora-
damente de una parte a otra.

Sin embargo, yo no corro, ni grito, ni
golpeo; yo tengo una preocupación terrible. Esta preocupación consiste en ver lo
que dice un pequeño libro que guardo en
el bolsillo. No puedo ya hacer memoria
de quién me lo dio ni cuándo comencé
a leerlo, pero sí afirmo que este libro me
interesaba profundamente, porque trata-
ba de brujas, de encantamientos, de misteriosas artes mágicas. ¿Tenía la cubierta
amarilla? Sí, sí, la tenía; este detalle no
se ha desaferrado de mi cerebro.

Y es el caso que yo comienzo a leer
este pequeño libro en medio de la formidable batahola de los muchachos enardecidos; nunca he experimentado una
delicia tan grande, tan honda, tan intensa
como esta lectura... Y de pronto, en este
embebecimiento mío, siento que una
mano cae sobre el libro brutalmente;
entonces levanto la vista y veo que el
bullicio ha cesado y que el maestro me
ha arrebatado mi tesoro.

No os diré mi angustia y mi tristeza, ni trataré de encareceros la honda huella que dejan en los espíritus infantiles, para toda la vida, estas transiciones súbitas y brutales del placer al dolor. Desde la fecha de este caso he andado mucho por el mundo, he leído infinitos libros; pero nunca se va de mi cerebro el ansia de esta lectura deliciosa y el amargor cruel de esta interrupción bárbara.

XVIII

EL PADRE PEÑA

—Azorín: ¿sabe usted el tema de hoy?

Yo no sé qué contestar; además, no sé el tema de hoy. El padre Peña ha entrado en clase diez minutos después que los demás profesores en las suyas; viene jadeando por el largo claustro, con el balandrán sobre los hombros, con un periódico en la mano, dando grandes trancos, encorvado.

Cuando llega, cierra la puertecita y se sienta.

—Azorín: ¿sabe usted el tema de hoy?

Yo no sé qué contestar: además, no sé el tema de hoy. El padre Peña me lo pregunta dos o tres veces; yo vacilo. Luego abro este libro sobado y resobado, con las puntas redondeadas, y comienzo a leer:

«*Le lit de fiancée.*»

Esto me parece que significa la *cama de la desposada*, y así lo hago constar con voz clara... Mientras yo he hecho esta extraordinaria revelación, los demás sonreían; sonreían viendo al padre Peña. Este padre Peña tiene el pelo emplastado con una recia costra de cosmético; por su cara morena descienden chorreaduras negras que le dan un aspecto tétrico y cómico; él, de cuando en cuando, se soba las mejillas y difumina la negrura. ¿Por qué usa tanto cosmético el padre Peña? Ahora, mientras los alumnos sonríen, él ha desplegado *El Siglo Futuro* y lo va leyendo.

Yo avanzo en mi traducción:

Où vas-tu de ce pas, jeune charpentier?
Ne sens-tu pas, du poids de ce lourd madrier,
Ton épaule affaisée?

Hoy esto me parece fácil de descifrar; entonces era para mí un enigma. Esta tarde en que *me ha preguntado* el padre Peña, no sé lo que traduzco; pero algo excepcional será cuando él suelta el periódico y me mira con ojos espantados.

—¡Muchachico! ¡Muchachico! —exclama, llevándose las manos al cosmético de la cabeza.

Pero yo no me inmuto por este asombro del padre Peña: todos sabemos que él en el fondo no siente ninguna sorpresa porque demos tal o cual significado absurdo. Por eso continúa en la lectura de *El Siglo Futuro* en tanto que yo vuelvo a mi tema:

... Repose—. Je ne peux; laisse moi, mon ami;
Il me faut au plus tôt faire de ces bois-ci
Un lit de fiancée.

Otra vez vuelvo a decir algo estupendo; el padre Peña alza la vista y torna a exclamar:

—¡Muchachico! ¡Muchachico!

Luego proseguimos ambos nuestra faena: él, en el periódico; yo, en la traducción.

Y cuando suena la hora, el padre Peña se levanta precipitadamente y se va por el claustro adelante dando grandes trancos, respirando fuerte, con el balandrán suelto sobre los hombros, con el periódico en la mano.

XIX

EL PADRE MIRANDA

El padre Miranda tenía la clase de Historia Universal; pero cuando se presentaba en lontananza un sermón ya no teníamos clase. Entonces él nos dejaba en el aula charlando y se salía a pasear por el claustro, mientras repetía en voz baja, gargajeando ruidosamente, de cuando en cuando, los períodos de su próximo discurso.

El padre Miranda era un hombre bajo y excesivamente grueso; era bueno. Cuando estaba en su silla, repantigado, explicando las cosas terribles de los héroes que pueblan la Historia, ocurría que, con frecuencia, su voz se iba apagando, apagando, hasta que su cabeza se inclinaba un poco sobre el pecho y se quedaba dormido. Esto nos era extraordinariamente agradable; nosotros olvidábamos los héroes de la Historia y nos poníamos a charlar alegres. Y como el ruido fuera creciendo, el padre Miranda volvía a abrir los ojos y continuaba tranquilamente explicando las hazañas terribles.

Fue rector del colegio un año o dos; durante este tiempo, el padre Miranda iba diezmando las palomas del palomar del colegio; nosotros las veíamos pasar frente a las ventanas del estudio en una bandada rauda. Poco a poco la bandada iba siendo más diminuta...

—Es el padre Miranda que se las come —nos decían sonriendo los fámulos.

Y esta ferocidad de este hombre afable levantaba en nuestro espíritu —lo que no lograban ni César ni Aníbal con sus hazañas— un profundo movimiento de admiración.

Luego, el padre Miranda dejó de ser rector; de la ancha celda directorial pasó a otra celda más modesta; no pudo ya ejercer su tiranía sobre las nuevas palomas. Y véase lo que es la vida; ahora que era ya completamente bueno y manso, nosotros le mirábamos con cierto desdén, como a un ser débil, cuando pasaba y repasaba por los largos claustros, resignado con su desgracia.

Algunos años después, siendo yo ya estudiante de facultad mayor, me encontré en Yecla un día de Todos los Santos. Por la tarde fui al cementerio, y vagando ante las largas filas de nichos, pararon mis ojos en un epitafio que comenzaba así: *Hic jacet Franciscus Miranda, sacerdos Scholarum Piarum...*

XX

LA PROPIEDAD ES SAGRADA E INVIOLABLE

Casi todos los colegiales teníamos nuestras «arquillas». ¿Qué encerraba yo en la mía? Ya no lo recuerdo; acaso un álbum de calcomanías, un lápiz rojo, un espejico de bolsillo, un membrillo, que yo voy partiendo poco a poco y comiéndomelo; un libro pequeño con las tapas pajizas, que yo leo a escondidas con avidez... Las arquillas eran unas cajas pequeñas de madera, cerradas, con un asidero en la tapa. Cuando nos sentábamos ante nuestros pupitres, en seguida abríamos, en los ratos de asueto en que por causa de lluvia no podíamos ir al patio, en seguida abríamos nuestra arquilla. Yo recuerdo el olor a membrillo —el mismo de las grandes arcas de casa— que se exhalaba de la mía cuando levantaba la tapa. Y luego sentía una viva satisfacción en ir revolviendo las cosas que había dentro; el lápiz, el espejo, las calcomanías, rojas y verdes, que pegaba en los libros.

Ésta era una de nuestras grandes satisfacciones; pero un día, a un escolapio, no recuerdo cuál, le pareció que estas arquillas eran una cosa abominable; decidió suprimirlas. Y aquel día, en que yo veo a mis compañeros cada uno con su caja yendo a depositarla a los pies del tirano, yo lo tengo por uno de los más ominosos de mi niñez; y todavía hoy me siento indignado ante aquel despojo de mi propiedad, sagrada e inviolable.

XXI

CÁNOVAS NO TRAÍA CHALECO

Vivía cerca del colegio una mujercita que nos traía sugestionados a todos: era el espíritu del pecado. Habitaba frente a un patio exterior; su casa era pequeñita; estaba enjalbegada de cal, con grandes desconchaduras; no tenía piso bajo habitable; se subía al principal, único en la casa, por una angosta y pendiente escalerilla; arriba, en la fachada, bajo el alero del tejado, se abría una pequeña ventana. Y a esta ventana se asomaba la mujercita; nosotros, cuando salíamos a jugar al patio, no hacíamos más que mirar a esta ventana.

—¿Qué estará haciendo ahora ella?
—pensábamos.

Ella, entonces, al oír nuestros bullicios, hacía su aparición misteriosa en la ventana, y nosotros la contemplábamos desde lejos con ojos grandes y ávidos.

Nos atraía esta mujercita: ya he dicho que era el espíritu del pecado. Nosotros teníamos vagas noticias de que en la ciudad había un conventículo de mujeres execrables; pero esta pecadora que vivía sola, independiente, a orillas de la carretera, allí, bajo nuestras ventanas, esta mujercita era algo portentoso e inquietante.

Y como nos atraía tanto, al fin caímos; es decir, yo no fui, yo era entonces uno de *los pequeños*, y quien fue figuraba entre *los mayores*. Se llamaba Cánovas; su nombre quiero que pase a la posteridad.

Se llamaba Cánovas. ¿Qué se ha hecho de este Cánovas? Cánovas fue el que se arriesgó a ir a casa de la mujercita. Aconteció esto una tarde que estábamos en el patio y se había ausentado el escolapio hebdomadario. Cánovas saltó las tapias; yo no me hallaba presente cuando partió; pero le vi regresar por lo alto de una pared, pálido, emocionado y sin chaleco.

¿Por qué no traía chaleco Cánovas? Este detalle es conmovedor; me dijeron al oído que Cánovas no tenía dinero cuando fue a ver a la mujercita y que apeló al recurso de dejarse allí esta sencilla y casi inútil prenda de indumentaria... Desde aquel día, tanto entre los pequeños como entre los mayores, Cánovas fue un héroe querido y respetado.

XXII

EL PADRE JOAQUÍN

Del padre Joaquín lo más notable que recuerdo es que tenía dos raposas disecadas en su cuarto; ya murió también. Todos los días leía *El Imparcial*; es el primer periódico que yo he visto; yo le profesaba por esto una profunda veneración a este escolapio.

—¿Cómo es —me preguntaba— que el padre Joaquín lee un periódico liberal?

Y entonces, desde lo más íntimo de mi ser, no me cansaba de admirar este rasgo de audacia.

El padre Joaquín tenía en su cuarto tres o cuatro botellas y una licorera en

que aparecían colgadas seis copitas azules; todo esto estaba guardado en un armario. Sobre la mesa había una gran
caja repleta de tabaco suave y oloroso.
La habitación se hallaba situada en el
segundo piso, al final de uno de los
dormitorios; tenía dos balcones, y en
pleno invierno, en los días claros, entraba por ellos una oleada de luz y de
calor, mientras los canarios colgados de
las jambas, trinaban con gorjeos rientes...

«¡Cuando Azorín vaya por Madrid hecho un *silbantillo!*...» Yo, al evocar la
figura del padre Joaquín, oigo siempre
esta frase que él decía con voz sonora
y dando una gran palmada: «¡Cuando
Azorín vaya por Madrid hecho un *silbantillo!*...» Se había estrenado por entonces una zarzuela popularísima, y este
vocablo de la efímera jerga madrileña
era muy repetido; no sé a punto fijo lo
que significa; no sé tampoco, cuando
recuerdo mi doloroso aprendizaje literario, si he ido por Madrid hecho tal cosa;
pero yo creo que el padre Joaquín lo

decía en un sentido entre cariñoso y picaresco...

En clase, muchas veces nos entreteníamos en charlar gustosamente; la disección de las zorras famosas nos ocupó cerca de un mes. Otras veces el padre Joaquín, que era el ecónomo, tenía que hacer sus complicadas cuentas, y no bajaba; entonces gritábamos, jugábamos a la pelota, acaso dábamos unas pipadas a un cigarro.

Sin embargo, al finalizar el curso, todos estos desahogos los pagábamos por junto; teníamos que aprender de memoria, palabra tras palabra, quince o veinte hórridos cuadros esquemáticos de clasificaciones botánicas y zoológicas. Yo no recuerdo tormento semejante a éste; pero yo no le guardo rencor al padre Joaquín en gracia del amable vaticinio que él repetía a cada paso, dando una gran palmada: «¡Cuando Azorín vaya por Madrid hecho un *silbantillo!*...»

XXIII

LOS BUENOS MODOS

—Señor Azorín: ¿cree usted que esa postura es académica?

Yo no creo nada; pero quito una pierna de sobra la otra y me quedo inmóvil mirando al escolapio.

Entonces él me explica cómo deben estar los jóvenes sentados y cómo deben estar de pie. Yo ya tenía algunas noticias de esto; en mi pupitre hay un pequeño libro que se titula *Tratado de Urbanidad*; por mis manos han pasado cuatro o seis ejemplares de esta obra. ¿Qué hacía yo de ellos? Ya no lo recuerdo.

Pero sí que tengo presentes algunas de las cosas que allí se decían; luego he encontrado el libro entre mis papeles, y lo he vuelto a hojear.

«¿Cuándo doblará usted los brazos?» —preguntaba el tratadista; y contestaba a renglón seguido—: «Doblaré los brazos en todo acto de religión, sea en el templo, sea en otra parte, y en los ejercicios literarios cuando el maestro me lo diga.»

Yo he de confesar que no tuve ocasión de doblar los brazos en ningún ejercicio literario. ¿A qué ejercicios se refería el autor? ¿Qué es lo que en ellos se hacía? Todas estas cosas me las preguntaba yo entonces; después, andando el tiempo, creo que he hecho algunos ejercicios literarios, pero no recuerdo haber guardado la prescripción del tratadista.

Tampoco la guardaba entonces respecto a tener las manos metidas en los bolsillos del pantalón; esto era un crimen horrible a los ojos del autor del libro.

«Tener las manos metidas en las faltriqueras del pantalón, sobre todo estando sentado —decía—, es postura indigna y algo más.» Y luego de formular este anatema, añadía indulgentemente: «Otra cosa fuera meterlas en la faltriquera del gabán...»

Yo guardo este libro como reliquia preciosa de mi niñez.

XXIV

LAS TENERÍAS

Cerca del colegio, a un lado, estaba situada una tenería... ¿No os inspiran un secreto interés estas viejas tenerías españolas, estas tenerías de Ocaña, estas tenerías de Valencia, estas tenerías de Salamanca que están al lado del río, no lejos de la casilla ruinosa en que vive la Celestina? Yo siempre he mirado con una viva emoción estos oficios de los pueblos: los curtidores, los tundidores, los correcheros, los fragüeros, los aperadores, los tejedores que en los viejos telares arcan la lana y hacen andar las premideras. Y recuerdo que cabe estas tenerías, que yo veía siempre curioso y ávido, había una callejuela que se llamaba de *Las Fábricas*. ¿Qué fábricas eran éstas? Eran esas pequeñas fábricas que hay en los pueblos vetustos y opacos: tal vez una almona; luego, al lado, una almazara; después, más lejos, acaso uno de esos viejos alambiques de cobre que van destilando lentamente, asentados en grandes anafes negruzcos...

La calle era corta, de casas bajas, sin revocar; no vivía nadie en ellas; durante el invierno, los cofines del piñuelo puestos al sol en las puertas, indicaban que estaban trabajando las almazaras; de cuando en cuando se asomaba un hombre con el traje grasiento, y los arroyuelos de alpechín corrían serpenteando por medio de la calle.

En tanto, en la tenería se oía de rato en rato el bullicio de los zurradores; el viento arremolinaba ante la puerta los montoncillos de cerdas y lanas; y sobre los tejados pardos y bajos, a lo lejos, se escapaba de una pequeña chimenea el humo tenue de las almonas o del sosegado alambique.

XXV

LA SEQUÍA

Hay entre nuestros recuerdos, en este sedimento que el tiempo ha ido depositando en el cerebro, visiones únicas, rápidas, inconexas, que constituyen un solo momento, pero que tenemos presentes con una vivacidad y una lucidez extraordinarias.

Yo veo en este instante una calle ancha, larga, de Yecla; el sol reverbera en las blancas fachadas, y contemplo cómo marca en las paredes esas fajas diagonales de luz del alborear o del atardecer. El arroyo está cubierto de una espesa capa de polvo que se levanta por el aire ardiente y forma nubes abrasadoras. Y entre estas nubes aparecen las capas negras de los clérigos, con rameados gualdos, las cotas rojas de los monagos, una alta cruz de plata que irradia lumbre, dos largas ringlas de labriegos que caminan despacio y cantan, en coro fervoroso, una salmodia plañidera...

No veo más; pero ahora puedo reconstruir el ambiente de esos días de sequía asoladora, con las mieses y los herrenes que se agostan, con los frutales que se secan, con los árboles que abaten sus hojas encogidas, con los caminos polvorientos, con las viejas enlutadas que suspiran y miran al cielo abriendo los brazos, con una sorda ira que envenena a los labriegos acurrucados en sus sillas de esparto, en los zaguanes semioscuros, y que estalla de cuando en cuando en golpes y gritos que hacen llorar a los niños.

XXVI

MI TÍO ANTONIO

Mi tío Antonio era un hombre escéptico y afable; llevaba una larga y fina cadena de oro que le pasaba y repasaba por el cuello; se ponía: unas veces, una gorra antigua con dos cintitas detrás, y otras, un sombrero hongo, bajo de copa y espaciado de alas. Y cuando por las mañanas salía a la compra —sin faltar una—, llevaba un carric viejo y la pequeña cesta metida debajo de las vueltas.

Era un hombre dulce: cuando se sentaba en *la sala*, se balanceaba en la mecedora suavemente, tarareando por lo bajo, al par que en el piano tocaban la sinfonía de una vieja ópera... Tenía la cabeza redonda y abultada, con un mostacho romo que le ocultaba la comisura de los labios, con una abundosa papada que caía sobre el cuello bajo y cerrado de la camisa. Yo no sé si mi tío Antonio había pisado alguna vez las universidades; tengo vagos barruntos de que fracasaron unos estudios comenzados. Pero tenía —lo que vale más que todos los títulos— una perspicacia natural, un talento práctico y, sobre todo, una bondad inquebrantable que ha dejado en mis recuerdos una suave estela de ternura.

Él era feliz en su modesta posición: no tenía mucha hacienda; poseía unos viñalicos y unas tierras paniegas. Y esos viñalicos, que amaba con un intenso amor, él se esforzaba todas las tardes en limpiarlos de pedrezuelas, agachado penosamente, sufriendo con su gordura.

Digo todas las tardes, y he de confesar que no es del todo exacto, porque muchas tardes no iba a sus viñas. Y era porque él tenía una gran afición a echar una mano de tute en el casino, o bien de dominó, o bien de otra cosa —todas lícitas—; y así pasaba agradablemente las horas desde después de la comida hasta bien cerrada la noche.

Yo creo que mi tío Antonio había estado en Madrid; no sé cuándo, no sé con qué motivos, no sé cuánto tiempo. Él, cuando estábamos en *la sala*, y me tenía sobre sus rodillas, siendo yo muy niño, me contaba cosas estupendas que había visto en la corte. Yo soñaba con mi fantasía de muchacho. En una rinconera había un loro disecado, inmóvil sobre su alcándara; en las paredes se veían cuadros con perritos bordados en cañamazo; sobre la mesa había cajas pequeñas cubiertas de conchas y caracoles. Y cuando mi tío callaba para oír el piano que tocaba la sinfonía de *El Barbero de Sevilla*, yo veía a lo lejos la maravillosa ciudad, es decir, Madrid, con teatros, con jardines, con muchos coches que corrían haciendo un ruido enorme.

XXVII

MI TÍA BÁRBARA

Respecto a mi tía Bárbara, yo he de declarar que, aunque la llamo así, tía, como si lo fuese carnal, no sé a punto fijo qué clase de parentesco me unía con ella. Creo que era tía lejana de mi padre. Ello es que era una vieja menudita, encorvada, con la cara arrugada y pajiza, vestida de negro, siempre con una mantilla de tela negra. Yo no sé por qué suspiran tanto estas viejas vestidas de negro. Mi tía Bárbara llevaba continuamente un rosario en la mano; iba a todas las misas y a todas las novenas. Y cuando entraba en casa de mi tío Antonio, de vuelta de la iglesia, y me encontraba a mí en ella, me abrazaba, me apretujaba entre sus brazos sollozando y gimiendo.

Si yo la hiciera hablar en estas páginas, cometería una indiscreción suprema; yo no recuerdo haberle oído decir nada, aparte de sus breves y dolorosas imprecaciones al cielo: *¡Ay, Señor!* Pero tengo idea de que ella había contado algunas veces la entrada de los franceses en la ciudad el año 1808.

Sí; era una pequeña vieja silenciosa; encorvadita; vivía en una casa diminuta; la tarde que no había función de iglesia, o bien después de la función, si la había (y claro está que en Yecla la había todos los días, perdurablemente), recorría las casas de los parientes, pasito a paso, enterándose de todas las calamidades, sentándose, muy arrebujada, en un cabo del sofá, suspirando con las manos juntas: *¡Ay, Señor!*

XXVIII

EL ABUELO AZORÍN

Una vez, allá en la primera mitad del siglo XIX, pasó por Yecla un pintor y retrató a mi bisabuelo paterno. No hemos podido averiguar quién era este pintor; pero su obra es un lienzo extraño que ha cautivado a Pío Baroja, el gran admirador del *Greco*. Se trata de un lienzo simple, sobrio, de coloración adusta; mi bisabuelo es un viejecito con la cara afeitada, encogido, ensimismado; tiene el pelo gris, claro, largo, peinado hacia atrás; sus ojos son pequeños, a medio abrir, como si mirara algo lejano y brillante (y ya veremos luego que, en efecto,

lo que él estaba mirando siempre era
algo brillante y lejano); su boca es grande,
y la nariz hace un pico sobre la larga
comisura.

Este pequeño viejo está con la cabeza
suavemente inclinada; se ve en su indumentaria una corbata negra, de lazo; por
encima de ella, tocando las mandíbulas,
aparecen dos pequeños triángulos blancos del cuello, y por debajo, sobre el
pecho, otro triángulo, que es la pechera.
El traje de mi bisabuelo es negro; lleva
también una capa negra, de cuello en-
hiesto, y por entre sus pliegues, a la
altura del pecho, aparece la mano amarilla y huesosa del pequeño viejo, medio
extendida, como señalando, pero sin afec-
tación, cuatro o seis infolios que se destacan a la derecha con sus tejuelos rojos
y verdes.

El artista misterioso que pintó este
lienzo quiso hacer una obra maestra
retratando a este viejo, lleno de cultura,
filósofo terrible, que inopinadamente en-
contró en esta ciudad gris un día que

pasó por ella. Mi bisabuelo trabajaba reciamente con el cerebro: *lo lejano y brillante* a que he aludido más arriba, y que él contemplaba a todas horas, era la esencia divina, Dios y su gloria, el Creador de todas las cosas con sus atributos de amor y de sapiencia. Lo diré en dos palabras: mi bisabuelo, ante todo, era un teólogo.

Mi tío Antonio solía decirme que le ganaba por la mano a Balmes; yo no llego a tanto; pero es lo cierto que sus obras han quedado inéditas y nadie le conoce. Yo conservo los manuscritos; hay, entre ellos, un libro fundamental que se titula *Filosofía del Símbolo o mis ideas religiosas y políticas;* y hay, además, otros pequeños tratados sobre materias místicas o dogmáticas.

Mi bisabuelo tenía una modestia sencilla y afable; no se atrevió a dar sus obras a la estampa, y fueron precisas circunstancias excepcionales para que publicase los dos únicos libros que tiene publicados: uno, cierta novena a San

Isidro Labrador, porque amigos y vecinos (estas viejas que entran en nuestra casa con el rosario, estos vecinos que vienen a calentarse a nuestra cocina) se lo rogaron insistentemente; otro, un pequeño libro formidable, que él creyó un deber de conciencia el publicar.

Yo no sé cómo ocurrió el lance; ello es que allá en Francia, Talleyrand, que ya no se acordaba de que había sido obispo, profirió algunas tremendas impiedades. Entonces, en una ciudad lejana de España, que era Yecla, hubo un pequeño viejo, mi bisabuelo, que se afligió profundamente. Él tenía una pluma y un pensamiento recto y profundo. ¿Cómo, católico fervoroso, iba a dejar pasar estas enormidades sin protesta? No, no podía ser: *In communi causa* —decía él— *omnes homo miles*. Y escribió una obra llena de erudición, que se imprimió en Alcoy, sobre recio papel de barba, con esos tipos cuadrados y gordos que usó en Valencia el editor Cabrerizo. Yo he leído el libro; lleva por lema la frase latina que he citado; se titula *El contestador a una carta que se quiere suponer escrita por el Príncipe Talleyrand al Sumo Pontífice Pío VII*. Lo he leído; es una refutación que hoy, dados los progresos de la apologética cristiana, resulta un poco anticuada; pero hay en este pequeño libro una página en que el viejecito de la capa se yergue como un filósofo profundo; una página soberbia, inquietadora, sobre la idea de tiempo y la eternidad perdurable.

XXIX

MI TÍO ANTONIO EN EL COMEDOR

El comedor de casa de mi tío Antonio era pequeño; tenía una ventana, que daba a un patizuelo, con alhelíes y geranios plantados en latas de conservas y cacharros rotos. En una rinconera, un despertador marchaba siempre con su *tic-tac* monótono; en un ángulo, un tosco bargueño estaba cargado de platos, y las paredes se veían cubiertas con un papel colorinesco —verde, rojo, azul— en que había pintados mares y riachuelos...

Cuando, ya sentados a la mesa, llegaba el momento en que sacaban el cocido, yo veía que ésta era la más íntima e intensa satisfacción de mi tío Antonio. Estos hombres buenos y escépticos son terriblemente sensuales; mi tío había comprado por la mañana en la plaza los aprestos de la comida, escogiéndolos con cariño, regateando el precio, sopesándolos, remirándolos, acariciándolos. Y luego, su sensualidad consistía (además de oír la música de Rossini) en devorar beatamente los garbanzos, la carne grasa, las patatas redonduelas y nuevas. Y yo lo veo, con su cara redonda y su papada, cómo rosiga, y sorbe los huesos, cómo los golpea contra el plato para que suelten la blanda médula.

Y si es día solemne —que eran los días que yo, interno en el colegio, comía con él—, si es día solemne y hay al final una fuente de natillas, entonces su satisfacción es completa. No hay para él otro goce supremo: Rossini puede perdonarle esta infidelidad. Yo, que amo apasionadamente al gran maestro, también se la perdono.

Y si cierro un momento los ojos en el
cambio de cuartilla a cuartilla, se me
aparece el buen anciano orondo después
de la comida, repantigado en su sillón,
dando con el acero sobre el pedernal unos
golpecitos menudos y rítmicos que hacen
temblar su sotabarba.

XXX

LOS DESPERTADORES

Cuando yo dormía alguna vez en casa de mi tío Antonio, si era víspera de fiesta, yo oía por la madrugada, en esas madrugadas largas de invierno, el canto de los *Despertadores*, es decir, de los labriegos que forman la Cofradía del Rosario, y que son llamados así por el vulgo. Yo no sé quién ha compuesto esa melopea plañidera, monótona, suplicante: me han dicho que es la obra de un músico que estaba un poco loco...

Yo la oía arrebujado en la cama, entre estas sábanas rasposas de lino con pequeños burujones; dormía en la sala;

encima de la consola había un gran lienzo con un Cristo entre sayones hoscos; la cama era grande, de madera, pintada de verde y amarillo; recuerdo que la jofaina del agua, puesta en un rincón, siempre estaba vacía.

Primero se percibía a lo lejos un murmullo, como un moscardoneo, acompañado por el tintinear de la campanilla; luego las voces se oían más claras; después, cerca, bajo los balcones, estallaba el coro suplicante, lloroso, trémulo:

No nos dejes, Madre mía;
míranos con compasión...

cantaban enardecidos. Y yo oía emocionado esta música torturante, de una tristeza bárbara, obra de un místico loco.

La oía un momento, allí bajo, y luego, poco a poco se alejaba hasta apagarse tenue con un lamento imperceptible.

Después principiaba el tintineo de los martillos sobre el yunque en la herrería contigua; trabajaban en aguzar las rejas que se habían de llevar los aldeanos llegados el sábado. Y más tarde, en el cuarterón de la ventana dejada abierta, comenzaba a mostrarse una claror vaga, indecisa.

XXXI

EL MONSTRUO Y LA VIEJA

Yo estoy en la entrada de la casa de mi tío Antonio; los cazos y pucheros de la espetera lucen sobre la pared blanca. Yo estoy en la entrada de la casa de mi tío Antonio; tengo entre las manos un libro en que voy viendo toscos grabados abiertos en madera; representan una cigüeña que mete el pico por una ampolla, ante los ojos estupefactos de una vulpeja; un cuervo que está posado en una rama y tiene cogido un queso redondo; una serpiente que se empeña en rosigar una lima...

Yo estoy sentado en un amplio sillón de cuero; al lado, en la herrería paredeña, suenan los golpes joviales y claros de los machos que caen sobre el yunque; de cuando en cuando se oye tintinear en la cocina el almirez. El aparcero ha entrado hace un momento y ha dicho que en la tormenta del otro día se le han apedreado los majuelos de la Herrada; este año apenas podrá coger doscientos cántaros de vino; las mieses también se han agostado por falta de lluvias oportunas; él está atribulado, no sabe cómo va a salir de sus apuros. Se hace un gran silencio en la entrada; los martillos marchan con su *tic-tac* ruidoso y alegre; el labriego mira tristemente al suelo y se soba la barba intonsa con la mano; luego ha dicho: ¡*Ea, Dios dirá!* Y se ha marchado lentamente, suspirando.

Ha transcurrido otro rato en silencio; por la calle se ha oído sonsonear una campanilla y una voz que gritaba: ¡*Esta tarde, a las cuatro, el entierro de don Juan Antonio!*

Cuando el tintineo de la campanilla se alejaba, se ha abierto un poco la puerta de la calle y ha asomado una vieja, vestida de negro, con la cara arrugada y pajiza. Esta vieja lleva una cesta debajo del brazo, y se ha puesto a rezar, en un tono de habla lento y agudo, por todos los difuntos de la casa; luego, cuando ha concluido, ha gritado: *¡Señores, una limosnica, por el amor de Dios!*, y como se hiciese una gran pausa y no saliese nadie, la vieja ha exclamado: *¡Ay, Señor!*

Entonces, en el viejo reloj se ha hecho un sordo ruido, y se ha abierto una portezuela por la que ha asomado un pequeño monstruo que ha gritado: *Cu-cú, cu-cú...*

La vieja, después, ha tornado a preguntar: *Señora, ¡una limosnica, por el amor de Dios!* Otra vez se ha transcurrido un largo rato; la vieja ha vuelto a suspirar: *¡Ay, Señor!* Y en el viejo reloj, que repite sus horas, este pequeño monstruo, que es como el símbolo de lo inexorable y de lo eterno, ha vuelto a aparecer y ha tornado a gritar: *Cu-cú, cu-cú, cu-cú...*

XXXII

MI TÍA ÁGUEDA

A mi tía Águeda yo no la conocí sino un año antes de morir, cuando vino a Yecla, su pueblo natal, a acabar su bella y noble vida... Tenía toda la penetración, todo el despejo natural, toda la bondad ingénita de esas almas que Montaigne ha llamado «universales, abiertas y puestas a todo». Yo la veo en una inmensa sala de uno de estos caserones yeclanos, sentada en un ancho sillón, con la cabeza pensativamente apoyada en la blanca y suave mano. Estaba muy enferma; ya casi no podía andar de un lado para otro. Y en esta sala grande, con lienzos religiosos, con los retratos de la familia, yo la oía suspirar de cuando en cuando presintiendo su acabamiento próximo.

Yo iba sólo a su casa de tarde en tarde: los *días de salida* en el colegio. Entonces, cuando me veía entrar, cuando me acercaba a su sillón, me atraía hacia sí con dulzura y me daba un beso en la frente. «Antoñito, Antoñito —decía suspirando—, yo quiero que seas muy bueno.» Y este suspiro y estas palabras, henchidas de una suave melancolía, impregnaban mi alma de un dejo de tristeza. Y permanecía silencioso, embargado, sin saber qué decir, mirando a las paredes con esos ojos atontados de los niños cuando pasa a su lado algo que ellos presienten que es muy grave, pero que no se explican...

XXXIII

ENCUBRID VUESTROS DOLORES, HACED FUERTE Y BELLA LA VIDA

Ya creo que he dicho que mi tío Antonio padecía la misma enfermedad —el mal de piedra— que otro célebre y amable escéptico: Montaigne. Mi tío murió como un hombre bueno y sencillo: hizo todo lo que pudo por ahorrar a los que le rodeaban el espectáculo de su dolor. «Cosa imperfectísima me parece —decía Santa Teresa— este aullar y quejar siempre, y enflaquecer la habla, haciéndola de enfermo; aunque lo estéis, si podéis más, no lo hagáis, por amor de Dios.» Hay almas superiores que saben tener este

gesto supremo en sus angustias: mi tío
fue de estas almas. Padeció atrozmente
en sus últimos días; él decía que era como
si tuviera cerca «unos perricos que venían
a morderle». Y cuando, de rato en rato,
sentía los crueles y abrumadores aguijo-
nazos en la vejiga, él intentaba sonreír,
y exclamaba: «¡Ya están aquí, ya están
aquí los perricos!»

Pocas horas antes de expirar, los perricos le dejaron quieto; él recobró toda su
bella serenidad y dijo que «ya estaba en
la taquilla tomando billete para el viaje...».
Luego, por la tarde, tuvo unas palabras
consoladoras para todos, y cesó de vivir...

Si hay un mundo mejor para los hombres que han paseado sobre la tierra una
sonrisa de bondad, allí estará mi tío
Antonio, con su larga cadena de oro al
cuello, con su eslabón y su pedernal,
oyendo eternamente música de Rossini.

XXXIV

LA IRONÍA

Je partirai! Steamer balançant ta mature
Leve l'ancre pour une exotique nature.

STÉPHANE MALLARMÉ: Brise marine.

Vamos a partir; la diligencia está presta. ¿Adónde vamos? No lo sé; éste es el mayor encanto de los viajes...

Yo no he podido ver una diligencia a punto de partida sin sentir vivos deseos de montar en ella; no he podido ver un barco enfilando la boca del puerto sin experimentar el ansia de hallarme en él, colocado en la proa, frente a la inmensidad desconocida.

Vamos a partir. ¿Adónde vamos? No lo sé; éste es el mayor encanto de los viajes... Yo tengo vivo entre mis recuerdos de niño el haber visto un barquito, lo que se llama un *modelo*, metido en un desván, revuelto entre trastos viejos; luego visité el mar de Alicante, y vi sobre la mancha azul, grandes, enormes, muchos barcos como este pequeñito del desván.

Y entre todos estos barcos yo sentí —y siento— una viva simpatía por las goletas, por los bergantines, por las polacras, por todos esos barcazos pintados de blanco, viejos, lentos, con una pequeña cocina, con las planchas de cobre verdosas. ¿Qué hacen estos barcos? ¿Adónde van? Yo tengo presente la imagen de uno de ellos: era una polacra vieja de las que transportan petróleo en sus bodegas; hacía dos meses que permanecía inactiva en el puerto; la pequeña cocina estaba apagada y llena de polvo; en la litera del capitán no había colchones. Nos acompañaba un marinero de la tierra, un hombre moreno, con una barba canosa y corta, con unos ojuelos hundidos y brillantes. Recorrimos todo el barco, solitario, silencioso; como pasáramos por una camarilla en que había un armario lleno de tarros de ginebra, yo dije señalándolos: «Esto es ginebra.» Entonces el viejo marino los miró un momento en silencio con sus ojillos brillantes, y luego contestó con una ironía maravillosa, soberbia, que yo no he encontrado después en los grandes maestros: «¡Ha sido!»

XXXV

¡MENCHIRÓN!

La casa tiene un pequeño huerto detrás; es grande; enormes salas suceden a salas enormes; hay pasillos largos, escaleras con grandes bolas lucientes en los ángulos de la barandilla, cocinas de campana, caballerizas... Y en esta casa vive Menchirón. Al escribir este nombre, que debe ser pronunciado enfáticamente —¡Menchirón!—, parece que escribo el de un viejo hidalgo que ha peleado en Flandes. Y es un hidalgo, en efecto, Menchirón; pero un hidalgo viejo, cansado, triste, empobrecido, encerrado en este poblachón sombrío. Yo no puedo olvidar su figura: era alto y corpulento, llevaba siempre unas zapatillas viejas bordadas en colores; no usaba nunca sombrero, sino una gorra, e iba envuelto en una manta que le arrastraba indolentemente... Este contraste entre su indumentaria astrosa y su alta alcurnia causaba un efecto prodigioso en mi imaginación de muchacho. Luego supe que un gran dolor pesaba sobre su vida: en su enorme casa solariega había una habitación cerrada herméticamente; en ella aparecía una cama deshecha; sobre la mesa se veían frascos de medicamentos viejos, y sobre los muebles destacaban acá y allá ropas finas y suaves de una mujer. Nadie había puesto los pies en esta estancia desde hacía mucho tiempo: en ella murió años atrás una muchacha delicada, la más bonita de la ciudad, hija del viejo hidalgo. Y el viejo hidalgo había dejado, en supremo culto hacia la niña, la cama, las ropas y los muebles tal como estaban cuando ella se fue del mundo.

¡Menchirón! Helo aquí, por las calles de Yecla, contemplando por mis ojos ansiosos, hastiado, cansado, con su manta que arrastra, con sus zapatillas, con su gorra sobre la frente. Yo vi, años después, su epitafio en el cementerio: decía que el muerto era excelentísimo e ilustrísimo; rezaba una porción de títulos y sinecuras modernísimos. Pero yo hubiera puesto este otro:

«Aquí yace don Joaquín Menchirón. Nació en 1590; murió en 1650. Peleó en Flandes, en Italia y en Francia; asistió con Spínola a la toma de Ostende; se halló en la rendición de Breda. Cuando se sintió viejo se retiró a su casa de Madrid; con los años adoleció de la gota. Un día, estando dormitando en el sillón, de donde no podía moverse, oyó los clarines de una tropa que se marchaba a la guerra; quiso levantarse súbitamente, cayó al suelo y murió.»

XXXVI

«AZORÍN ES UN HOMBRE RARO»

Cuando la dueña de la casa me ha dicho: «Deje usted el sombrero», yo he sentido una impresión tremenda. ¿Dónde lo dejó? ¿Cómo lo dejó? Yo estoy sentado en una butaca, violentamente, en el borde; tengo el bastón entre las piernas, y sobre las rodillas el sombrero. ¿Cómo lo dejo? ¿Dónde? En las paredes de la sala veo cuadros con flores que ha pintado la hija de la casa; en el techo están figuradas unas nubes azules, y entre ellas revolotean cuatro o seis golondrinas. Yo me muevo un poco en la butaca y contesto a una observación de la señora diciendo que, efectivamente, «este año hace mucho calor». Luego, durante una breve pausa, examino los muebles. Y ahora sí que experimento una emoción terrible: estos muebles nuevos, llamativos, puestos simétricamente (o, lo que es más enorme, en una desimetría estudiada); estos muebles de los bazares y de las tiendas frívolas, yo no quisiera tener que echarles encima el peso de mi crítica. ¿Qué voy a decir de estas abrumadoras sillitas dobles, de respaldo invertido, pintadas de blanco perla y que no pueden faltar en las casas elegantes? ¿Qué voy a pensar de los jarrones que hay sobre la consola y de las figuritas de porcelana? El señor de la casa rompe el breve silencio y me pregunta qué me parece de la última crisis; yo me agarro a sus palabras como un náufrago para salir de este conflicto interior que me atosiga; pero veo que no sé qué opinión dar sobre la última crisis.

Entonces se hace otro largo silencio: repaso mientras tanto el puño de mi bastón... Al fin, la señora dice una frivolidad, y yo contesto con otro monosílabo.

¿Para qué haré yo visitas? No, no; yo tengo muy presentes estas sensaciones de muchacho, y por este motivo no he querido nunca hacer visitas; a mí no se me ocurre nada en estas salas en que hay golondrinas pintadas en el techo, ni sé qué contestarles a estos señores. Por eso, ellos, cuando les dicen que yo tengo mucho talento —cosa que yo no creo—, asienten discretamente; pero mueven la cabeza y añaden:

—Sí, sí; pero Azorín es un hombre raro.

XXXVII

LOS TRES COFRECILLOS

Si yo tuviera que hacer el resumen de mis sensaciones de niño en estos pueblos opacos y sórdidos, no me vería muy apretado. Escribiría sencillamente los siguientes corolarios:

«¡Es ya tarde!»

«¡Qué le vamos a hacer!», y

«¡Ahora se tenía que morir!»

Tal vez estas tres sentencias le parezcan extrañas al lector; no lo son de ningún modo; ellas resumen brevemente la psicología de la raza española; ellas indican la resignación, el dolor, la sumisión, la inercia ante los hechos, la idea abrumadora de la muerte. Yo no quiero hacer vagas filosofías; me repugnan las teorías y las leyes generales, porque sé que circunstancias desconocidas para mí pueden cambiar la faz de las cosas, o que un ingenio más profundo que el mío puede deducir de los pequeños hechos que yo ensamblo leyes y corolarios distintos a los que yo deduzco. Yo no quiero hacer filosofías nebulosas: que vea cada cual en los hechos sus propios pensamientos. Pero creo que nuestra melancolía es un producto —como notaba Baltasar Gracián— de la sequedad de nuestras tierras; y que la idea de la muerte es la que domina con imperio avasallador en los pueblos españoles. Yo, siendo niño, oía contar muchas veces que un vecino o un amigo estaba enfermo; luego, inmediatamente, la persona que contaba o la que oía se quedaba un momento pensativa y agregaba:

—¡Ahora se tenía que morir!

Y éste es uno de los tres apotegmas, uno de los tres cofrecillos misteriosos e irrompibles en que se encierra toda la mentalidad de nuestra raza.

XXXVIII

LAS VIDAS OPACAS

Yo no he ambicionado nunca, como otros muchachos, ser general u obispo; mi tormento ha sido —y es— no tener un alma multiforme y ubicua para poder vivir muchas vidas vulgares e ignoradas; es decir: no poder meterme en el espíritu de este pequeño regatón que está en su tiendecilla oscura; de este oficinista que copia todo el día expedientes y por la noche van él y su mujer a casa de un compañero, y allí hablan de cosas insignificantes; de este saltimbanqui que corre por los pueblos; de este hombre anodino que no sabemos lo que es ni de qué vive y que nos ha hablado una vez en una estación o en un café...

Las pequeñas tiendas tienen un atractivo poderoso. ¿Cómo viven estos regatones, estos percoceros con sus bujerías de plata, estos sombrereros con sus sombreros humildes, estos cereros con sus velas rizadas? Hay en las viejas ciudades españolas calles estrechas —tal vez con el ábside de una vetusta iglesia en el fondo—, donde todos estos mercaderes tienen sus tiendecillas, y hay una hora profunda, una hora única en que todas estas tiendas irradian su alma verdadera.

Esta hora es por la noche, después de cenar; ya los canónigos se han retirado de sus tertulias; las calles están desiertas; la campana de la catedral lanza nueve graves y largas vibraciones. Entonces os paseáis bajo los soportales: las tiendas tienen ya sus escaparates apagados; acaso algunas estén también entornadas; pero sentís que un reposo profundo ha invadido los reducidos ámbitos; un hálito de vida monótona y vulgar se escapa de

la anaquelería y del pequeño mostrador;
tal vez un niño, que se ha levantado con
la aurora, duerme de bruces sobre la
tabla; en la trastienda, allá en el fondo,
se ve el resplandor de una lámpara...
Y la campana de la catedral vuelve a
sonar con sus vibraciones graves y largas.

XXXIX

LAS VENTANAS

¿Vosotros no habéis visto una pequeña ventana desde lo alto de un monte? Yo lo explicaré: cuando va ya de vencida la tarde, subís a una montaña alta, en que hay barrancos rojizos con verdes higueras en el fondo, y en el que tal vez un allozo hace surgir entre las peñas su tronco atormentado. La tarde cae tranquila y silenciosa: vosotros os sentáis en un terreno; al lado vuestro, en una mata de lentisco, una araña os mira con sus ojos crueles y luminosos desde el fondo de su embudo de seda; a lo lejos tintinea dulcemente la esquila de un ganado.

Entonces vosotros sacáis de un cilindro de recio y viejo cuero un catalejo enmohecido, en uno de cuyos tubos pone con letra inglesa *London;* y miráis el panorama verde y suave... Las montañas cierran en la lejanía con una pincelada azul el horizonte; las viñas cubren con su alfombra de verde claro el llano; una manchita blanca se divisa imperceptible allá en la inmensidad, en el repliegue de una ladera.

Vosotros dirigís hacia allí el catalejo, y veis, en lo alto de un cerro, un castillejo moruno con su torreón desmochado, y abajo, en el declive, un tropel de casas con fachadas blancas. Mirad bien estas casas: todas tienen ventanas; pero entre todas habrá una con una ventana pequeña, misteriosa, que hará que vuestro corazón se oprima un momento con inquietud indefinible... Yo no sé lo que tiene esta pequeña ventana: si hablara de dolores, de sollozos y de lágrimas, tal vez al concretarla, no expresaría mi emoción con exactitud; porque el misterio de estas ventanas está en algo vago, algo latente, algo como un presentimiento o como un recuerdo de no sabemos qué cosas...

Yo he visto en mi niñez muchas fotografías, con pequeñas ventanas, de pueblos que jamás he visitado, y al verlas he sentido esta extraña inquietud de que el poeta Baudelaire también hablaba.

XL

ESAS MUJERES...

¿No habéis encontrado nunca en vuestra vida una mujer que os ha hechizado durante un momento y que luego ha desaparecido? Estas mujeres son como estrellas que pasan rápidas en las noches sosegadas del estío. Habréis encontrado una vez, en un balneario, en una estación, en una tienda, en un tranvía, una de esas mujeres cuya vista es como una revelación, como una floración repentina y potente que surge desde el fondo de vuestra alma. Tal vez esta mujer no es hermosa; las que dejan más honda huella en nuestro espíritu no son las que nos deslumbran desde el primer momento...

Vosotros entráis en un vagón del ferrocarril u os sentáis junto al mar en un balneario; después vais mirando a las personas que están junto a vosotros. He aquí una mujer rubia, vestida de negro, en quien vosotros no habéis reparado al sentaros. Examinadla bien: los minutos van pasando; las olas van y vienen mansamente; el tren cruza los campos. Examinadla bien: posad los ojos en su pelo, en su busto, en su boca, en su barbilla redondeada y fina. Y ved cómo vais descubriendo en ella secretas perfecciones, cómo va brotando en vosotros una simpatía recia e indestructible hacia esta desconocida que se ha aparecido momentáneamente en vuestra vida.

Y será sólo un minuto; esta mujer se marchará; quedará en vuestra alma como un tenue reguero de luz y de bondad; sentiréis como una indefinible angustia cuando la veáis alejarse para siempre. ¿Por qué? ¿Qué afinidad había entre esta mujer y vosotros? ¿Cómo vais a razonar vuestra tristeza? No lo sabemos; pero presentimos vagamente, como si bordeáramos un mundo desconocido, que esta mujer tiene algo que no acertamos a explicar, y que al marcharse se ha llevado algo que nos pertenece y que no volveremos a encontrar jamás.

Yo he sentido muchas veces estas tristezas indefinibles; era muchacho; en los veranos iba frecuentemente a la capital de la provincia y me sentaba largas horas en los balnearios, junto al mar. Y yo veía entonces, y he visto luego, alguna de estas mujeres misteriosas, sugestionadoras, que, como el mar azul que se ensanchaba ante mi vista, me hacía pensar en lo Infinito.

XLI

LAS PUERTAS

Ya os he hablado de las ventanas; ahora quiero que sepáis la emoción que en mí suscitan las puertas. Yo amo las cosas: esta inquietud por la esencia de las cosas que nos rodean ha dominado en mi vida. ¿Tienen almas las cosas? ¿Tienen alma los viejos muebles, los muros, los jardines, las ventanas, las puertas? Hoy mismo, sentado ante la mesa, con la pluma en la mano, he advertido que entraba en la pequeña biblioteca el mayoral de la labranza y me decía:

—Esta noche las puertas han trabajado mucho...

Yo oigo estas palabras y pienso que, en efecto, esta noche pasada las puertas han trabajado reciamente. ¿Tienen alma las puertas? Un viento formidable hacía estremecer la casa; todas las puertas de las grandes salas vacías, las de las cámaras, las de los graneros, las de los corredores, las de los pequeños cuartos perdurablemente oscuros, todas, todas las puertas han lanzado sus voces en el misterio de la noche. Una puerta no es igual a otra nunca: fijaos bien. Cada una tiene su vida propia. Hablan con sus chirridos suaves o broncos; tienen sus cóleras que estallan en recios golpes; gimen y se expresan, en las largas noches del invierno, en las casas grandes y viejas, con sacudidas y pequeñas detonaciones, cuyo sentido no comprendemos.

¿No os dice nada una de estas puertas llamadas *surtidores* que dan paso de una alcoba ancha y sombría a un corredor sin muebles, con las paredes blancas? ¿Y esta otra dividida en pequeños cuarterones que da paso a una vieja cámara campesina, con una pequeña ventana alambrada y con una leja en la que hay un espejo roto y un cantarillo con miera? ¿Y esta otra con las maderas alabeadas, hinchadas por la humedad, carcomidas, que cierra un huertecillo abandonado, con parrales sombríos y hierbajos que crecen en las junturas de las losas con un viejo árbol por cuyo seno verde tuerce el paso una hiedra, como en los versos de Garcilaso?

No hay dos puertas iguales: respetadlas todos. Yo siento una profunda veneración por ellas; porque sabed que hay un instante en nuestra vida, un instante único, supremo, en que detrás de una puerta que vamos a abrir está nuestra felicidad o nuestro infortunio...

XLII

MARÍA ROSARIO

María Rosario, tú tenías entonces quince años; llevabas un traje negro y un delantal blanco; tus zapatos eran pequeñitos y nuevos. María Rosario, tú te ponías a coser en el patio, en un patio con un toldo y grandes evónimos en cubas pintadas de verde; el piso era de ladrillos rojos muy limpios. Y aquí, en este patio, tú te sentabas delante de la máquina; a tu lado estaba tu tía con su traje negro y su cara pálida; más lejos, en un ángulo, estaba Teresica. Y había un ancho fayanco atestado de ropa blanca y de telas a medio cortar, y tú revolvías con tus manos delicadas estas telas blancas y ponías una sobra la máquina. Tus pies pequeñitos movían los pedales de hierro, y entonces la máquina marchaba, marchaba en el sosiego del patio con un ruido ligero y rítmico.

María Rosario, yo pienso a ratos, después de tanto tiempo, en tus manos blancas, en tus pies pequeños, en tu busto suavemente henchido; yo quisiera volver a aquellos años y oír el ruido de la máquina en ese patio, y ver tus ojos claros, y tocar con las dos manos muy blandamente tus cabellos largos.

Y esto no puede ser, María Rosario; tú vivirás en una casa oscura; te habrás casado con un hombre que redacte terribles escritos para el juzgado; acaso te hayas puesto gruesa, como todas las muchachas de pueblo cuando se casan; tal vez encima de la mesa del comedor haya unos pañales... Y yo siento una secreta angustia cuando evoco este momento único de nuestra vida, que ya no volverá, María Rosario, en que estábamos los dos frente a frente, mirándonos de hito en hito sin decir nada.

Azorín. Dibujo por Ignacio Zuloaga

YO, PEQUEÑO FILÓSOFO

*No me podrán quitar el dolorido
sentir...*
GARCILASO: Égloga I.

I

Yo, pequeño filósofo, he cogido mi paraguas de seda roja y he montado en el carro, para hacer, tras largos años de ausencia, el mismo viaje a Yecla que tantas veces hice en mi infancia. Y he puesto también como viático una tortilla y unas chuletas fritas. Y he visto también desde lo alto del puerto pedregoso los puntitos imperceptibles del poblado, allá en los confines de la inmensa llanura, con la cúpula de la iglesia Nueva que irradia luminosa. Y he entrado después en la ciudad sombría... Todo está lo mismo: las calles anchas, las iglesias, los caserones, las puertas grandes de los corrales con elevadas tapias.

Y por la tarde he recorrido las calles anchas y he paseado por la huerta. Y al anochecer, cuando he vuelto a la casa en que vivió mi tío Antonio, he dejado mi paraguas en un rincón y me he puesto a escribir estas páginas. Son los últimos días de otoño; ha caído la tarde en un crepúsculo gris y frío. La fragua que había paredaña, ya no repiquetea; al pasar ya no he podido ver el ojo vivo y rojo del hogar que brillaba en el fondo oscuro. Las calles están silenciosas, desiertas; un viento furioso hace golpetear a intervalos una ventana del desván; a lo lejos brillan ante las hornacinas, en las fachadas, los farolillos de aceite. He oído las lechuzas en la alta torre de la iglesia lanzar sus resoplidos misteriosos. Y he sentido, en este ambiente de inercia y de resignación, una tristeza íntima, indefinible.

Esta tarde, mientras paseaba por la huerta con algunos antiguos camaradas, veía a lo lejos la enorme ciudad, agazapada en la falda del cerro gris, bajo el cielo gris. Discurríamos silenciosos. Cuando llegaba la noche, uno de los acompañantes ha dado unos golpes en el suelo con el bastón, y ha pronunciado estas palabras terribles:

—Volvamos, que ya es tarde.

Yo, al oírlas, he experimentado una ligera conmoción. *Es ya tarde.* Toda mi infancia, toda mi juventud, toda mi vida han surgido en un instante. Y he sentido —no sonriáis— esa sensación vaga, que a veces me obsesiona, del tiempo y de las cosas que pasan en una corriente vertiginosa y formidable.

II

No he podido resistir al deseo de visitar el colegio en que transcurrió mi niñez. «No entres en esos claustros —me decía una voz interior—, vas a destruirte una ilusión consoladora. Los sitios en que se deslizaron nuestros primeros años no se deben volver a ver; así conservamos engrandecidos los recuerdos de cosas que en la realidad son insignificantes.» Pero yo no he atendido esta instigación interna; insensiblemente me he encontrado en la puerta del colegio; luego he subido lentamente las viejas escaleras. Todo está en silencio; en la lejanía se oye el coro monótono, plañidero, de la escuela de niños.

Siento una opresión vaga cuando entro en el largo salón con piso de madera, en que mis pasos hacen un sordo ruido; como en mi infancia, me detengo emocionado. Levanto los ojos: a lo lejos, al otro lado del patio, en el observatorio, el anemómetro con sus cacitos sigue girando. No ha parado desde entonces; corre siempre, siempre, sobre la ciudad, sobre los hombres, indiferente a sus alegrías y a sus pesares.

He subido las mismas escaleras, ya desgastadas, que tantas veces he pisado para subir al dormitorio. Aquí, en un rellano, había una ventana por la que se columbraba el verde paisaje de la huerta; yo echaba siempre por ella una mirada hacia los herrenes y los árboles. Ahora han cubierto sus cristales con papel de colores. Ya no se ve nada; yo he sentido una indignación sorda. Luego, cuando he querido penetrar en el salón de estudio, he visto que ya no está donde se hallaba; lo han trasladado a una sala interior. Desde sus ventanas ya tampoco se apacentarán las infantiles y ávidas imaginaciones con el suave y confortante panorama de la vega; los ojos, cansados de las páginas áridas, no podrán ya volverse hacia este paisaje sosegado y recibir el efluvio amoroso y supremamente educador de la Naturaleza...

¿Tenía yo razón para volverme a indignar? Sí, yo me he vuelto a indignar en la medida discreta que me permite mi pequeña filosofía. Y después, cuando ha tocado una campana y he visto cruzar a lo lejos una larga fila de colegiales con sus largas blusas, yo, aunque pequeño filósofo, me he estremecido, porque he tenido un instante, al ver estos niños, la percepción aguda y terrible de que «todo es uno y lo mismo», como decía otro filósofo, no tan pequeño; es decir, de que era yo en persona que tornaba a vivir en estos claustros; de que eran mis afanes, mis inquietudes y mis anhelos que volvían a comenzar en un ritornelo doloroso y perdurable. Y entonces me he alejado un poco triste, cabizbajo, apoyado en mi indefectible paraguas rojo.

EPÍLOGO DE LOS CANES

El autor, llegado a la madurez de la vida, resume toda su filosofía en este coloquio de unos canes:

Varios canes se reunieron en el ejido de un pueblo un día claro de primavera, a la vista de unas montañas azules. El primer can dijo así:

—Señores: yo soy un can viejo y lleno de experiencia. Perdonad esta inmodestia mía. He andado mucho por el mundo, y al fin he venido a reconocer que no hay estado para los canes comparable al que nos proporcionan las estaciones de ferrocarriles. Ser can en una estación creo que es lo más aceptable para un can. Es preciso que no tergiverséis este concepto que acabo de exponer. No se trata de guardar nada ni de estar amarrado a ninguna cadena. Yo soy un can horro de toda servidumbre. Se trata de correr de un lado para otro con entera libertad y de husmear discretamente entre las vías para descubrir y recoger los restos de merienda que tiran los viajeros. Las estaciones de ferrocarril tienen un encanto profundo. Me dijo una vez un can bien portado y que pasaba en un tren de lujo que algunos hombres dan en decir que los ferrocarriles han matado la poesía. A estos hombres que están un tanto locos se les llama poetas. Yo estoy en mi sano juicio y no pienso como los poetas. En las estaciones el espectáculo es variado según sea la hora del día o de la noche. No se aburre uno nunca. Conoce uno a mil gentes. De cuando en cuando, es cierto, sufre uno algún contratiempo lamentable; pero esto les sucede a los canes inexpertos, irreflexivos, que no conocen las señales de marcha de los trenes ni están atentos al movimiento de la vía.

Señores: yo soy un can mundano, amigo del progreso. El bullicio y el ir y venir rápido de los trenes me encantan. ¿Añadiré que aquí los mantenimientos son fáciles de hallar? Piltrafas, huesos de pollo, cortezas de queso, restos de carnes asadas; todo esto es lo que yo encuentro y saboreo en la estación. Además, yo amo profundamente la democracia. Os diré por qué al principio de frecuentar las estaciones, yo observaba que sólo comían los viajeros que iban en los coches modestos, incómodos. Los que iban en coches lujosos, no comían. Me era imposible el explicarme este absurdo. Por las ventanillas de los coches de segunda y tercera salían restos de merienda; por las de los coches de primera no arrojaban nada. Me intrigaba mucho esta paradoja desagradable. Al fin, un can viejo y experto me explicó el fenómeno. Los viajeros de los coches lujosos comían en el restorán del tren o en las fondas de las estaciones. Creo que los hombres han hecho muchos disparates, pero ninguno como éste de llevar comedores en los trenes. Desde entonces yo amo al pueblo, a los humildes que llevan su merienda en el tren, y detesto a los que desdeñan esta costumbre idílica, tradicional, simpática, y comen en el restorán.

Termino diciendo que estoy contento con mi suerte, y que en una estación pienso acabar mis días. Ahora marcho en busca de otra, y al pasar por este pueblo he tenido el gusto de conoceros. Soy un can vagabundo y amigo de las novedades. No tengo plan de vida ni amo. ¿Quién vive más a gusto que yo?

El segundo can que usó de la palabra era gordo y luciente:

—Yo, señores —dijo—, creo que eso de la libertad es una monserga. Los hombres han escrito muchos libros sabios, pero nada como este refrán en que se compendia toda la sabiduría del mundo: *¿Quieres que te siga el can? Dale pan.* A mí me dan pan en abundancia, y yo sigo a quien me lo da. Me dan, dicha

sea la verdad, algo más que pan. Tengo
todo lo que puede apetecer un can. Dis-
fruto de los más exquisitos manjares. Yo
vivo en Madrid; mi amo es un hombre
rico. Me adora mi ama y me bailan el
agua los chicos de la casa. Se dirá que
no tengo libertad, que no puedo salir
a la calle cuando quiero, que no puedo
correr y retozar con otros canes. A mí,
¿qué me importa? Yo no sé lo que es eso
que se llama libertad. Como bien, me
hacen fiestas, me sacan en coche. ¿Qué
más puedo pedir? A mí, todo el que no
va bien vestido me parece francamente
despreciable. Ladro furiosamente a todos
los que se acercan a mí vistiendo tras-
pilladamente. Yo no tengo más criterio
de moralidad que el traje. Un hombre
que va mal vestido no puede tener buenas
intenciones. En su consecuencia, yo le
ladro, y si insiste mucho en acercarse,
yo le muerdo. Dos o tres mordiscos he
dado en toda mi vida y no me ha pasado
nunca nada. Estoy satisfecho porque creo
que he cumplido con mi deber: el deber

que tiene todo perro decente de ladrar a las personas sucias y miserables.

Señores: estoy en este pueblo porque mi amo ha venido a pasar unos días en una finca suya. Dentro de poco *regresaremos* a Madrid y allí me tienen ustedes a su disposición.

El tercer can que habló se expresó de esta manera:

—Que cada cual lleve y pondere la suerte de vida que más le plazca. Mi vida es de lo más monótona y uniforme que darse puede, y, sin embargo, a mí me gusta esta vida. Yo soy un can de unos terrazgueros o labrantines. Mi misión se reduce a ir con ellos a los bancales, a recostarme al lado del hato y a guardarlo mientras mis amos labran. No hago otra cosa. Me paso el día tumbado. Soy un can del campo. Puedo deciros que no hay nada como tomar el sol en invierno en plena campiña, o como dormitar en verano a la sombra de un árbol. Para mí es el cielo azul; para mí las montañas azules; para mí los aromas de los henos,

de los habares, de las plantas montara-
ces; para mí el aire fino y sano; para mí
las aguas delgadas y cristalinas. Yo soy
un poco escéptico y no creo en las pom-
pas mundanas. No doy el campo y sus
placeres por nada. Mi vida discurre sin
sobresaltos ni congojas. De noche, guardo
el gallinero del cortijo. Los lobos han
desaparecido hace mucho tiempo; sólo
he de habérmelas de tarde en tarde con
alguna vulpeja o con algún búho. Y
¿creéis que yo tengo miedo a tales ali-
mañas?

Señores: os repito que no hay nada
como la paz, el silencio y la sanidad del
campo.

Deliberaron brevemente los tres canes.
Al cabo se separaron sin haberse puesto
de acuerdo. Cada can es un mundo. Se
ha dicho esto de los hombres. Con más
razón se puede decir de los canes.

ÍNDICE
DE TÍTULOS PUBLICADOS

SELECCIONES AUSTRAL